The POWER of ART

アートの力

美的実在論

マルクス・ガブリエル
訳……大池惣太郎　翻訳協力……柿並良佑

堀之内出版

Le pouvoir de l'art
by Markus Gabriel

Japanese translation rights arranged with
Éditions des Saint-Simon, Paris
through Tuttle-Mori Agency, Inc., Tokyo

目次

序文　ベルナール・ジェニエス——10

アートの力——24

アートの価値——39

美学と知覚——53

パフォーマンスとしての解釈——75

自律性、ラディカルな自律性、オリジナリティ——93

アートと（権）力——132

補論　懐疑のアート、アートの懐疑——162

訳者解説　大池惣太郎——224

いったい私が叫んだからといって、天使の身分にある誰が
この声を聞き届けてくれよう。
たとえ天使のひとりが不意に、私を胸に抱いたとしても
その存在のあまりの力強さに、私は滅びてしまうだろう。
なぜなら、美は恐るべきもの、
われらがどうにか耐えうるものの、ほんの始まりにすぎないからであり、
また美をかくも見事と思うのは、美がわれわれを破壊することなど
何とも思わぬからなのだ。

天使はみな恐ろしい。
されば、美を求める気持ちの暗く高まろうとも、私はそれを押し黙らせるとしよう。
われらはいったい敢えて、誰に助けを求めようというのか、
天使でもなく、人間でもなしに。
それに、さかしい動物たちはすでに気付いている、
この定められた世界にあって、われらが寄る辺ない身であることを。

リルケ『ドゥイノ悲歌』より「第一の悲歌」

凡例

・本書は、Markus Gabriel, *Le Pouvoir de l'art*, Saint-Simon, 2018を底本としている。著者によれば、同書はフランスの出版社によって企画され、まず著者が英語で書いたものを翻訳家がフランス語に起こしたものである。二〇二〇年には、最初の英語の原稿をもとに、少なからず加筆された英語版が出版されている（*The Power of Art*, Polity, 2020）。翻訳に当たっては、フランス語版を底本としながらも、著者・出版社の了承を得て、英語版の加筆部分を適宜反映した。また、日本の読者に向けた補足として、〔　〕内には訳者による注を付している。

・本書に併録された論考「懐疑のアート、アートの懐疑」は、ガブリエルが二〇〇九年に書いた英語の論文“The Art of Skepticism and the Skepticism of Art”（*Philosophy Today*, 53 (1):58-69, 2009）の全訳である。

序文

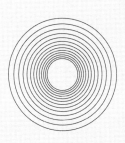

ベルナール・ジェニエス

序文

ベルナール・ジェニエス[1]

図a バンジャマン・ラビエによるイラスト（『ヨーロッパのポスター：その源流から現代まで』京都国立近代美術館、1978年）

あるチーズ製造業者が、有名な「笑う牛」の商品パッケージを新しくしようと考えた。一九二〇年にイラストレーターのバンジャマン・ラビエが考え出した例の牛の似顔絵である。彼は複数の現代アーティストに続々とパッケージデザインを依頼した（ハンス・ペーター・フェルドマンや、ジョナサン・モンクに）。出来上がった製品はアーティストによって生み出されたのだから、アート作品

1 Bernard Géniès（1953-2021）は文化ジャーナリスト、アート批評家。*Nouvel Observateur* 誌の元編集者（アート・演劇部門）。

と考えられてもよさそうなものだ。しかし、製品の流通方法によって、すべてはありふれたマーケティング行為とみなされる（「コレクター用」と書かれたパッケージは、何千と製造され、大々的に販売されている）。人々が購入しているのはアート作品ではない、チーズなのだ。

図b フロリス・ファン・ダイク《チーズのある静物》
（高橋達史、坂本満編『世界美術大全17』小学館、1995年）

一六一五年頃、オランダの画家フロリス・ファン・ダイクは《チーズのある静物》を描いた。絵のなかには乳製品が厳かに祭られていたが、だからといって、この絵は芸術作品ではない、と考える者などいなかっただろう。二つの制作物の受け取られ方はとても遠いものに見えるが、ここで、「チーズ」を意味するフランス語のfromageがラテン語のformaticaに由来することを思い出してほしい。「ある形に作られたもの」という意味だ。その点を踏まえるなら、今取り上げた二つの例は、五世紀の隔たりをとびこえ、ある共通の問題で結ばれているとは言えないだろうか。つまり、観念や作品に「形（相）（フォルム）を与える」という、よく知られた問題である。

　このことは、われわれ現代人の生活のあらゆる場面に、なぜこれほどアートがはびこっているかを部分的に説明するものだろう。マルクス・ガブリエルはこの点を、本書『アートの力』の冒頭ですでにはっきりと指摘している。彼が思い出させるのは、アートが今や、デザインという形のもとで巷に溢れかえっていることだ。デザインは、言ってみればアートによる「付け鼻」である。それによって、品物は人が欲しがるものに姿を変え、過大な価値を与えられる。

誰もが当たり前に知っていることだ。五ユーロ札は実のところ、紙幣の両面に記された額ほどの価値をもたない。人が紙幣に認める価値は、金銭や商品の交換を成り立たせる人々の間で了解された、ひとつの慣習の結果である。お金は、流通のなかでこれだけの価値があると言われた分だけ価値を持つのだ。

アートもお金と同じ道を辿ったのだろうか? アートの価値もまた、市場を成り立たせる人々の間で交わされた商談の結果にすぎなくなったのだろうか。そうでなければ、金の卵を生むガチョウとみなされた一握りのアーティストの周りで、あのように相場が激しく燃え上がる現象をどう理解すればいいだろう。ここで忘れもしないのは、その種のアートファンに対してイタリアの芸術家ピエロ・マンゾーニが行った挑発行為だ。彼の挑発にはいくつものコンセプチュアルなメッセージが込められていた。マンゾーニはすでに一九六〇年代のはじめから《芸術家の息吹（フィアート・ダルティスタ）》（自分の息で膨らました風船）や、あの有名な《芸術家の糞（メルダ・ダルティスタ）》（自分の排泄物を入れた缶詰）を制作していた（マンゾーニはこれを九〇個も作ったわけで、うまい儲け話をとことん追求したと言える）。この行為は、アート作品がそれ自体どんな性質をもっているか、その身分はいかなるものかを、私たちに問うている。はたして一介の空気や糞に、何らかの情動や印象や認識を呼び起こすほどの価値があるのだろうか。それともこの場合は単にアーティストが制作に込めた意図のみを考慮し、それゆえ糞をアート作品にするという行為の結果だけを考えるべきなのか、と。

図c ピエロ・マンゾーニ《芸術家の糞》（Vanni Scheiwiller, *Piero Manzoni : Catalogue raisonné*, Cercle d'art, 1991）

　こうした問題を考えるために、ガブリエ

ルはひとつの道筋を示している。モネの《印象、日の出》を見よ、と彼は言う。最初のヒントはこうだ。ガブリエルによると、この絵に描かれた恒星は、ただひとつのあり方で存在しているわけではない。なぜなら、どんな方法をによっても太陽が実際にそうであるところのもの、つまりその電磁気的な場それ自体を表現することなど不可能だからだ。第二のヒント。モネの描く絵は、「知覚対象」に姿を変えた「知覚的見せかけ（イリュージョン）」である、とガブリエルは述べている。要するに、描かれたもの（物質としての絵画）と、その絵画を通してわれわれが知覚するものとの間には、ひとつのやり取りがあり、私たちはそのやり取りに属する何かを目にしている、ということだ。ガブリエルによれば、知覚の作用はトリオで進行する。つまり、「①知覚対象が、②知覚する者に、③知覚的見せかけの形をとって現れる」〔本書七二頁〕。だが、ガブリエルが問うのは、その先にある問題だ。アートが今述べたような規則にしたがって心的に生成され、知覚されるとして、そのときアートが属する領域はどこにあるのか、その固有の力はどのようなものかを、ガブリエルは問うのだ。

誰もが知るように、アートは私たちにとってある意味で捉え難いものである。結構なことだ。アートを捉えるには、私たちの方からアートに近づかねばならない。なるほど、アートが何らかのルールに従うことはある（たとえば何かの美的なルールに）。道徳やイデオロギーに従う場合もあるだろう（一例をあげれば、社会主義リアリズムに）。だが、アートは同時に固有の質を有している。「アート作品はラディカルに自律している」とガブリエルは言う。アート作品はその点で「普遍的なものと対立する」と。作品はそれぞれみな特異だが、その特異性は、他の作品といかなる共通点も持たないという事実によって生まれるのだ。アート作品はどれも単一にして全体であり、ガブリエルが解釈に開かれた「意味の場」と呼ぶものによって構成されている。どの作品もユニークである（同じ彫刻や写真のエディションのように、複製されたものであろうと）。だが、ただ一つ（ユニーク）であると同時に、作品をめぐる知覚は複数でありえるのだ。ロダンの《考える人》は考察への誘いである。眺めているうちに、私たち自身が考えさせられるという意味だ。とはいえ、ただぼんやり眺め、考えているだけで、あるがままの作品をキャッチできるというわけではない。作品の形、構成、素材をよく見ることが必要だ。それにより、理論的分析の手段が与えられ、そこから作品のもつ還元不可能な性格、特異性が解明できるようになる。

哲学がアートに何の用があるというのか。哲学者はアーティストのように巧みに概念を駆使する。概念を整備したり、配置したり、対置したり、補完したりすることも、何らかの形の創作（クリエーション）に参加することだ（絵画であれ、観念であれ、何か形あるものを作ることにかわりはない)。哲学者が語ることは、アートをめぐる探究の語りとなって、アートの本質それ自体につきまとうことになる。とはいえ、いまだにカントが一八世紀に述べたまま、「芸術の美は、物の美しい表象である」[2]などと書いていてよいものか。カントの金言は現代アートの現場でもいまだ十分にその意味を保ちうるだろうか。たとえば近年、アニッシュ・カプーアやマリーナ・アブラモヴィッチといったアーティストがヴァーチャル・リアリティ・イメージを用いて制作した作品に、カントが取り組んだ意味での美の概念を当てはめることができるだろうか。時代の文脈に即した言葉が必要なことは明らかだ。

だからこそ、私たちはマルクス・ガブリエルに感謝することになる。彼はいくつもの時代や断絶を越え、「作品は自分で自分に固有の法則を与える」〔本書一〇二頁〕という命題を示してくれた。別の言葉で言えば、アートは

2 『判断力批判』、§48。

自律している、ということだ（「ラディカルに自律している」とガブリエルは言う）。その意味で、アート作品はいかなる制度に対してであろうと、自己弁明する必要などないのである。ガブリエルはこう述べさえしている。「アートは無道徳的であり、無法的であり、無政治的である」。アートの有する力はその意味で（他の権力からの支配を免れる限りにおいて）、まさしく「絶対的」ということになるだろう。

マルクス・ガブリエルの別の著書のタイトル、『世界は存在しない』（邦題『なぜ世界は存在しないのか』）をパラフレーズして、「アートもまた存在しない」と言ってもいいかもしれない。アートが存在しなくなったら、私たちの存在から多くの意味が失われてしまうことは確かだ。とはいえ、ガブリエルもそこまでは主張していない。むしろ、彼は「アートの力」をはっきり宣言することで、アートを実在の領域に位置づける。ガブリエルは、現実と呼ばれるものの一部が概念で構築されているとみなす構築主義者の理論を拒絶し、むしろ、われわれには事物の実在が実際に認識できる、と主張する。ただし、彼はこう付け加える。作品を存在させるには、それを解釈しなければならない――そして解釈とは、理論的分析とは区別されるべき手続きである、と。

さて、以上の論旨をまとめれば、アート作品に独立の機能が備わると認めねばならないことになる。アート作品はときに人を眩惑するが、それは鑑賞者が勝手に抱くものではないのだ。作品が引き起こす眩惑は、作品の物理的、感覚的側面を通して生まれる鑑賞者側の快（や不快）だけに結びつくのではない。アート作品とは何よりも、固有の意味を自ら生み出す、ユニークで異なる表現である。作品に没入したり、作品を拒絶したりするわれわれの反応は、そこから引き起こされるのだ。

マレーヴィチの《黒の正方形》(といっても実は完全な正方形ではない)は、誰からも美しい絵だと思われなかったし、そう紹介されたこともなかった。それでもマレーヴィチはモスクワではじめて展示を行った際、《黒の正方形》を高く掲げて、ちょうど「聖なる隅」に置かれるよう気を配った。「聖なる隅」というのは、ロシアの伝統的家庭で聖画像(イコン)が置かれる一画のことだ。とはいえ、この作品が何か象徴的な役割を担うとすれば、それは作品にひとつの態度表明がはっきり示されているからだ。つまり、当時の芸術規範や社会慣習に向けられた挑発である。そう、このアートはひとつの力をまざまざと示している。制作された時代の文脈を超えてなお、作品の解明しがたい力強さを呼び起こしてくる力だ。この一九一五年の《黒の正方形》という作品を嫌う人はあいかわらずいるだろう。だからといって、作品がその存在を減じることはない。この作品ははっきり告げている、アートはかく在るのだと。

アートの力

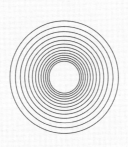

マルクス・ガブリエル

アートの力

私たちは美的な時代を生きている。アート作品はいたるところにある。なかでも今日次第に難しくなっているのは、アートとデザインを区別することだ。アート作品とデザイン商品は今やひとつに溶け合い、形と見た目を変え、思いがけないところに姿を現すようになった。もちろん、あいかわらず美術館で作品を鑑賞し、コンサートを聴き、映画を観るのもいい。だが多少歴史のある街なら、少し散歩をするだけで建築物が目の前にある。建築もまた、アートの一形態だ。大都市の高級雑貨店をまわれば、流行りの奇抜な商品が陳列されている。そうした商品がほかより目立つのは、アートがもつ力、つまり対象を際立たせる力によって、細工が施されているからである。

日本を訪れる人なら誰でも、食べ物もまたアートの一形態だと気づくだろう。ファーストフード型消費文化のなかにいると、なかなか気づきにくいことだ。だが、見たところその食事に美しいところなどまるでないマクドナルドの食事でさえ、アートや美学理論を大いに活用することで、食べ物の凡庸さを誤魔化しながら提供している。実際、現代社会の食糧事情は、ただ生きるのに必要な生化学成分を供給するだけで良しとはしていない。私たちの前にあるのは、消費者の群れを作り出すために、神話や物語をたっぷり詰め込まれた料理なのだ。だからこそ、マクドナルドで子供向けの誕生パーティーが催されるたびに、ドナルド・マクドナルド（俳優によって演じられたマクドナルド創設者の看板マスコット）が招かれもせずにやってくるのである。彼が登場する目的はただひとつ、この伝説の人物との出会いによって、凡庸な食べ物の消費という不快な経験を、ひとつの美的経験に変えることだ。アートには多様な使い途があって、ただひとつ自体的な価値が備わっているというわけではない。デザインにあふれたこの世界で、アートはいわばピエロのつけ鼻、フィクションなのだ。それによって、消費という習慣の忌まわしい外観を覆い隠しているのである。

結局このデジタル時代、私たちの前にはたえずデザインの形をしたアート作品がある。ときには製品として――Appleはこの分野で模範となるケースだ――あるいはインターネットのホームページやネット広告におけるグラフィックとして。アート作品はどこにでもある、というより、アート作品の雰囲気がいたるところに漂っていて、煙幕のような機能を果たしている。美的経験が人々の間で誘発されているのだ。そうして、身の回りの環境で生じる質量＝エネルギー構造の破壊的な消費が、美しいものや崇高なものの経験へと変換されるのである。

一言で言って、現代はアートの存在論的自律性から、解放をもたらす力を少しずつ吸い上げてきたと言える。パリのルイ・ヴィトン財団美術館（フランク・ゲーリー設計）のことを考えてみればいい。この美術館では、二〇一九年に大規模なバスキア展が催された。どの分野のアナリストも、美術館と展覧会、双方の活況を見て、次のように認めた。つまり、観客がブーローニュの森に引き寄せられたのは、バスキアによる「声なき者のための声」の表現を見るためだけではなかったのだ。バスキアのヴィジュアル・ラップ・アートは、マーケティングやデザイン目的で使用されても支障をきたさなかった。それどころか、ヴィトン財団美術館という建築空間に置かれることで、それは隣の遊園地、アクリマタシオン庭園の乗り物や観光アトラクションと、存在論的に同じレベルのアトラクションとして機能したのである。

アートのこうした遍在とともに、ひとつの懸念が拡がっている。つまり、アートがアートを超える目的のために使用されたり濫用されたりしているのではないか、という懸念だ。私はそうした状況を前にして、本書で次の疑問に取り組むことにした。すなわち、アートはどうしてこれほど強力な——その影響下に置かれていない現実など想像もできないほど強力な——力をもつにいたったのか、という疑問である。

実際、私たちの身のまわりにあるオブジェの世界で、アートはもはや例外的なものであるどころか、むしろ規則そのものとなった。なかには次のように疑う者もいるほどだ。アートがこれほど力をもつのは、その背後により強力な存在がいるからではないか、アートの装いの下で何かがひそかに進行しているのではないか、と。さらにはこんな仮説もある。アートワールドを現在ひそかに支配するその力とは、搾取の構造により生まれた富の蓄積という、マルクス主義的意味における資本（主義）にほかならない、という仮説だ。搾取構造は人の目から隠されることではじめてうまく機能する。アートは物質的な富を美しく見せかけることによって、まさしく生産条件を覆い隠す役割を果たしているのではないか、というわけだ。確かによく言われるように、高度に非対称的な搾取構造は、ある程度見えなくならないかぎり機能しない。だが、ブロードウェイのミュージカル作品によく見られるように、搾取構造があからさまにそれと示されたまま機能する場合がある。たとえば、近年公開された『ハデスタウン』という傑作がまさにそうだ。

ミュージカル作品『ハデスタウン』は、ギリシア神話に出てくるオルフェウスとエウリュディケの逸話を、ある搾取をめぐる物語に組み入れたものである。[1] 作中で搾取をはたらくのは、地下世界の神ハデスと、その飲んだ

1 〔訳注〕『ハデスタウン』《*Hadestown*》は、ギリシア神話を大恐慌後のアメリカの炭鉱街に投影したミュージカル作品。元となっているのは、オルフェウスが妻エウリュディケを冥界から連れ戻そうとするストーリーである。オルフェウスは、帰路で決して後ろを振り返らないという約束を冥界の王ハデスと交わすが、約束を守ることができず、妻はハデスのもとにとらわれてしまう。二〇〇六年にバーモント州の劇場のプロジェクトとして制作され、二〇一九年にはブロードウェイで公演が行われた。

くれの妻ペルセポネだ。このアート作品は実に申し分ない出来栄えで、私は四回も見に行ったが、そこでとある観客が述べていたように、この素晴らしい作品には「感動を超えて」美しいところがある。『ハデスタウン』は徹底したアメリカ的想像力と、神話の存在論的力を観念的に一体化している。語られるのはハデスが地球を破壊する物語であり、劇中の死すべき普通の人間たちからは、このシニカルな神の姿が見えていない。ところが、この作品は作品それ自体を超えて、搾取構造に対するどんな解決策も示していない。なるほど、ミュージカルでは、「世界はこうもなりえる」という可能性が示されてはいる。だがそれは、まさにこの作品自体を生み出した、地下の産業的状況への反乱、という空疎なファンタジーを上演することによってなのだ。観客は、この現代における最も強力で並外れたアート作品のひとつに引き込まれている間、それが描き出す社会経済状況を嘆く。

だが、まさにそうした社会経済状況に組み込まれることなしには、『ハデスタウン』という作品は存在しなかったのである。

だとすれば、まさにアートは物品の生産条件に美的輝きを貸しあたえ、それを人目から隠す機能を果たしているではないか、と思う人がいるかもしれない(知られるように、ギリシア語のハデス——Ἅιδης——は語源的に「目に見えない」という意味だ)。この種の考察は、アートに関する理論やアーティスト同士の間で実によく聞かれる。その観点で見ると、ヘーゲルが言った「理念の感覚的なあらわれ[2]」(das sinnliche Scheinen der Idee)は、いつの間にか物質的なものの知覚を通じた輝きへと変化したかのようだ[3]。

もしこの仮説が実際に正しいと証明されたら、そのときはアートに対して全面的に異議申し立てを行い、あらゆる形態のアートを拒絶せねばならないだろう。そうすることが、現代の社会政治制度や環境制度の悪行に対

2 ヘーゲル『美学講義』(長谷川宏訳、作品社、上巻、一一九頁)。

3 たとえば以下を参照。Wolfgang Ullrich, *Siegerkunst : neuer Adel, teure Lust* (Berlin: Klaus Wagenbach, 2016).

する抵抗の徴となるのであれば。

しかし、私はそうした仮説に断固反対である。これから論証するように、アートはいかなる権力によってもコントロールされていない。何かよそよそしい疎外する力がアートという目くらましの下で働いており、それがアートを動かしている、などということはない。それどころか、アートは現実的にコントロール不可能なのだ。誰にもアートの歴史を統御する位置に立つことはできない。たとえアーティスト自身であろうともである。さらに言うなら、実はアートの方こそ、私たちに特別な関心を示すことなく、私たちを支配している。アートはいわば、多くのデジタル技術産業の批評家が恐れている、あの超絶知能（スーパーインテリジェンス）である。[4]

ラスコーやアルタミラなどの洞窟絵画が描かれた時代からすでに、アートは人心を虜にしてきた。コンピューターのうちで作動するソフトトウェア

4 このテーマについてはもちろん以下を参照。ニック・ボストロム『スーパーインテリジェンス——超絶AIと人類の運命』（倉骨彰訳、日経BP、二〇一七年）。この本で表明される様々なアイディアは、もともとレイ・カーツワイルの以下の本により普及した。『ポスト・ヒューマン誕生——コンピューターが人類の知性を超えるとき』（井上健訳、NHK出版、二〇〇七年）。

のように、アートは私たちの存在それ自体のうちで作動している。それどころではない。私たちが人間存在になれたのは、アートが発生したおかげなのだ。私たちはアートのおかげで、「人間的な存在」というイメージに沿って生きる存在になり、また動物相や植物相や星々といった仲間たちのなかで、自分たちがどの立場にあるかというイメージに沿って生きる存在になれたのである。[5]

説明しよう。自分たちがこの世界でどのような立場にあるかを、人間が科学の力で理解するようになる前、近代の人々は、自分たちが地上の物の秩序のなかで特別な位置を占めると考えていた。人間の特殊な身分は、まずはさまざまな神の概念によって支えられ、それから唯一神の概念によって支えられた。ところが、いわゆる「神の死」、つまり、「神」がもはや（少なくとも一定数の人にとって）人間存在の概念に関して中心的役目を果たさな

5 人間存在のこうした捉え方については以下を参照。マルクス・ガブリエル『「私」は脳ではない——21世紀のための精神の哲学』（姫田多佳子訳、講談社、二〇一九年）。

くなったというポストモダン的意味における「神の死」以降も、神話時代の痕跡がひとつ残っている。つまり、私たち人間を独自の存在にしている何かがある、という考えである。たとえば今の場合、自分たちを例外的なものとして思考するこの能力がまさにそれだ。私たちの知る限り、他のどんな動物も世界を理論的に理解しようとはしない。だからこそ、われわれポストモダンの人間にも、先人の残したヒューマニズムを守ってしかるべき理由があるのだ。人間は独自の存在である。人間精神の歴史を開始させる出来事が、確かに起きたからだ。ただし、私たちを作ったのは神々ではない。本書で私が主張したいのは次の考えだ。すなわち、人類の起源はアートだということ。私たちが自分を独自の動物として思い描いたそのはじまりに、アートがある、ということだ。

実際、「人工知能（intelligence *artificielle*）」という表現のうちにアートの観念が含まれているのは偶然ではない。われわれ人間は実のところ大昔から人工知能だったのだが、その事実は今日まであまり注目されずにきたのである。[6]実際に人間の思考は先祖が製作した物で形づくられている（道具、絵画、宝石、タトゥー、衣服）。まずはそうしたオブジェが人間の想像力を虜にしたのであり、そこから翻って人間はオブジェの加工に専心するようになったのだ。

歴史は根本的にアートの歴史であり、アートの歴史はそれをコントロールしようとするどんな行為者や制度よりも強力である。想像に直接力を及ぼすものこそ、私たちに対して絶対的な力をもつからだ。したがって、神は今もかわらず支配力を振るっていると言ってよい。実際、重要なのは人間の想像力を超えたところに究極的に神が存在するかどうかではない。無神論者が主張するとおり、人間の想像の外に神が存在しなかったとしても、

6　これについては、Markus Gabriel, *The Meaning of Thought*, Polity, 2021.

神の観念はあいかわらず人の精神に浸透している。観念というものは、時空間にある物的現実において何も表象しなくとも、極めて強い力をもつことがあるのだ。たとえば数や記憶のことを考えてほしい。宇宙のどこにも数字の姿は見えない。3という数はどこにも存在しない。記憶も同様だ。記憶は現実をありのままに写した写真のようなものではない。ところが、数字や記憶がなければ人間社会は存在しないだろう。社会は人間の想像力と本質的に結びついているのだ。[7]

したがって、想像力の歴史は単なる思い込みの歴史ではない。想像することは、誤った思い込みをすることではない。想像されたものは実体のない無ではない。想像力の働きは、サルトルがそう信じたような、無を物質化することではないのだ。[8]

想像力はいかなる意味でも現実を超越しない（というか、何ものも現実を超

7 有名どころとして、コルネリュウス・カストリアディス『想念が社会を創る——社会的想念と制度』（江口幹訳、法政大学出版局、一九九四年）、また Markus Gabriel, *Fiktionen* (Berlin : Suhrkamp, 2020) を参照。

8 ジャン＝ポール・サルトル『イマジネール——想像力の現象学的心理学』（澤田直・水野浩二訳、講談社学術文庫、二〇二〇年）。

越しはしない）。想像による現実の変容は、まさに現実の内部で起きている。私たちが想像することは、想像される限りにおいてまさに現実なのだ。そうでないとしたら、私たちは夢を見るとき現実を離れてどこか別の場所へいっている、ということになってしまう。アート作品から湧き出す空想や夢、美的経験は、私たちを紛れもなく現実の何かと結びつけている。なぜなら、アート作品や、夢のなかで再編された記憶は、現実をむしろ増すからである。そうしたものは、現実から何も取り去りはしないのだ。

想像力はそれ自体、現実の一部である。それゆえ、マルクス主義者、あるいはリチャード・ドーキンスやダニエル・デネットら新無神論者にならって「神は想像の産物だ」と主張してみたところで、宗教に対抗する手段としてほとんど役に立たない。というのも、往々にして「神」は存在する最も強力な観念の名だからだ。「神」というのは、想像力の堅い核、その中心に付けられた名である。信仰のある人は明らかにそう考えている。ところでご存知のように、絶対数として見れば今日ほど地上が信仰をもつ人々で溢れかえったことはない。神は確かにまだ死んでいない。死にかけてすらいないのだ。

決して忘れてはいけないことがある。どんな一神教も、人間は神の似姿として作られたと教えている。つまり、人間は模造（アーティフィシャル）の知性として作られたのである。ちょうどソフトウェアがコンピューターにおいて作動するように、人間は身体において作動するものとして作られた。したがって、人間という観念は一種の人工（アーティフィシャル）知能の観念であり、ゆえにアートの観念なのである。

アートの価値

われわれポストモダンの人間は、近年、日常品がますます美的になる過程を目の当たりにしている。私たちは明らかに、車や住居やスマートフォンをその使用価値で購入していない。デザインとアートと美の間に戦略的な同盟が結ばれたことで、私たちは贅沢品の消費者になるように誘われている。並行して、一九六〇年代から急激に加速した現象がある。最も純粋な形態のアートも含めて、アート自体が商品に変わったことだ。その仰天するような市場価値は、成長し続けるマーケットに合わせて増大する一方である。[9]

現在のアート市場は、昔から芸術と権力の間で結ばれてきた伝統的な協力関係の枠を大きくはみ出す。近代の古典芸術のあり方は、実際に権力の

9 以下を参照：Michael Findlay, *The Value of Art. Money, Power, Beauty*, Prestel, 2014; Wolfgang Ullrich, *Siegerkunst. Neuer Adel, teure Lust*, Wagenbach, 2016.

顕揚や、公的領域における象徴秩序の構造化に寄与していた。ルネサンス時代にフランス宮廷で文芸を庇護したパトロンから、全市民に開かれた民主主義的な美術館にいたるまで、芸術の担い手たちがこぞって試みたのは、作品の内の自律的構造をはみ出る文脈で、アートを道具として利用することだった。

ドイツの芸術理論家ヴォルフガング・ウルリッヒによれば、近代のアートはつねに権力と政治に従属していた。それゆえ、アートが純粋な「芸術のための芸術」として受容されることは決してなかったという。ウルリッヒの考えでは、アートそのものよりも、アートを生み出し展示する文脈の方が強力なのであり、したがって、アート自体はどんな自律的本質ももたないことになる。だが、彼は間違っていると思う。アートにはひとつの本質がある。そしてその本質は、他の影響力と絶え間なく対立する関係にある。

とはいえ、最近になって超富裕層の人間たちが、コレクター兼バイヤーの新たなエリート層を形成したことも事実だ。この現象によって、大昔からある問題に再びアクチュアルで先鋭的な意味が与えられることになった。つまり、アートと権力はどのような関係にあるか、という問題だ。それ自体は美と関係がない他の勢力に、アートは支配されているのだろうか。言い方を変えれば、アートは自律しているのだろうか、それともその本来のあり方からして何かに依存しているのだろうか。たとえばアートの美的内容は、アート作品を自己表現の手段にする、イデオロギーの形をした蛮力に左右されるものなのか。

私はこの問題について、アートこそが権力を支配している、といういくぶん意表をつく考えを主張したい。アート作品はその本性から自律しており、アートワールドと呼ばれるものに支配されることなど決してありえない。アートの自律性によって、アート作品はアートワールドから引き離されているので、アートワールドにはアートの本質についてどんな決定権もない。逆にアートの本質は、存在論的にアートワールドと関わっている。ちょうど素数の本質が数学業界に関わるのと同じだ。何を数学的発見とみなすかを決める社会的条件は、素数の本質に何ら影響を与えない。それに対して素数の本質は、何を数学的発見とみなすかに影響する（もし素数の本質が変われば、数学的発見の意味も違ってくるだろう）。同じことが、アートの本質とアートワールドについても言えるのだ。

数学者は自分の命題が正しいかどうかを、専門家同士の合意だけで勝手に決められない。まっとうな数学者なら、所与の形式システム内で証明なく前提された公理から導かれた定理を、定理とはみなさない。誰であろうと、それを定理とすることはできないのだ。こうした数学における実在論の基礎的洞察は、美学（アート理論）にも適用できる。その理由を理解するには、芸術哲学で現在主流になっている考えを転倒させねばならない。アートと権力の関係をめぐる私たちの考えには、根本的に誤った暗黙の前提がある。それを捨て去ることが必要なのだ。

その前提とは、アートの価値が観察者の目に宿るという考えである。この考えを解体するにあたって、まずは名前をつけておこう。これを「美的構築主義」という。美的構築主義とは、アート作品が、それ自体としてはまったく美的でも芸術的でもないような影響力から生まれる、と信じる立場のことだ。

アメリカの哲学者アーサー・C・ダントー（一九二三―二〇一三）の論考「アートワールド」は、とても大きな反響を呼んだ。[10] ダントーが論文で強

10 アーサー・C・ダントー「アートワールド」『分析美学基本論文集』所収（西村清和編・監訳、勁草書房、二〇一五年）。

調したのは、アート作品が本質的にアートワールドの構成要素であるということだった。アートワールドには、作品以外にも、アーティストやアート批評家、美術館、美術品バイヤー、美術史家、さらにはアーティストが作品に使う原料の生産者までが含まれる。要するに、ダントーはこう考えたのだ。アートはアートワールドの外には存在しない、芸術作品を芸術作品たらしめるのは、アートワールドである、と。

単純な例をあげよう。今、あなたはモスクワのトレチャコフ美術館にいて、マレーヴィッチの《黒の正方形》を前にしていると想像してほしい。次に場面を変えよう。今度はどこかの工場にいて、目の前にはマレーヴィッチの《黒の正方形》とあらゆる点で同じ見た目をした工業製品が並んでいる。見た目は同じだが、こちらのオブジェはアート作品であるとは少しも考えられておらず、ある新しい兵器の製造に組み込まれることになっている。ダントーはこの種の単純な思考実験によって、彼の根本的なアイディアを論証する。つまり、アート作品の見た目をしたオブジェであろうと、適切な文脈に置かれない限りはアート作品になれない、ということだ。したがって、《黒の正方形》のような何らかの知覚されたオブジェをアート作品として決定づけているのは、最終的には文脈、つまりアートワールドだ、ということになる。

　こうしたダントーの考えに替わる議論を示す前に、上の例と対照をなすと思しい別の有名な作品、マルセル・デュシャンの《泉》（便器）についても検討しておこう。この作品をめぐる一般的な解釈は、やはり同様の考察から引き出される。つまり、便器のような拾い物（オブジェ・トゥルヴェ）がアート作品になるのは、アートワールドの文脈においてでしかない、という考えだ。美術館のトイレにある小用便器と、デュシャンが展示した便器は、素材として違いがない。素材レベルでは、同じ工場で同じ目的のために作られた二つの便器を区別することはできないだろう。美的構築主義の考えでは、そうした便器のうち一方がたとえばマイヨール美術館に展示されており、もう一方が店舗で使用されているという事実こそ、まさに前者のアート作品としての身分を決定づけている。

こうしたアートに対する見方は、今日ではほとんど当たり前になった。現代アートは見たところ簡単に作れそうであるとか、現代アートの特殊なステータス（とその市場価値）は関係者や関係機関がそれを展示し、称賛し、解釈し、購入し、生産し、売却することではじめて与えられる、といった考えが一般によく聞かれる。これを別の形で言い換えれば、アートは「アート」という文脈に置かれない限りそれ自体として価値をもたない、ということになるだろう。

これは明らかに、経済価値理論の曲用である。有名だが誤ったその理論によれば、通貨の為替相場を決めるのは、ほかならぬ取引の進行それ自体ということになる。五ユーロ札そのものに五ユーロの価値はない。紙やインクなど、紙幣の製造に使われた材料の価値は五ユーロに満たない。五ユーロ札で何が購入できるか、何がそのお札分の価値を持つかは、為替相場と、そのお札で交換可能な種類の財に付与された大なり小なり恣意的な価格によって決まる。この議論は要するに、使用価値と交換価値というマルクス主義の有名な区別につながる。お腹が減ったら、五ユーロで買った食べ物を使えばいい。だが五ユーロ札を食べたところで満腹にはならない、というわけだ。

交換価値は需要と供給の法則にしたがって変動する。ところが、お金は「経済」という文脈のなかでしか交換価値をもたない。[11] お金に交換価値が

11 社会の一般理論をこのような基本的観点から考える明快な入門書としては、以下を参照。ジョン・R・サール(*The Construction of social reality* (New York: Simon & Schster, 1995)、および『社会的世界の制作：人間文明の構造』(三谷武司訳、勁草書房、二〇一八年)。

あると信じられなくなったら、私たちはこのおびただしい紙幣と小銭とプラスチック製クレジットカードの山をどうすればいいか分からないだろう。そうと知りながら、私たちはやはり貨幣に何がしかの価値があると信じている。信じる理由はただ一つ、権力をもつ十分な数の人々と制度により、お金に価値があると納得させられているからだ。

私はここで、美的構築主義の暗黙の諸前提に代えて、ラディカルに異なる代案を提示したい。その代案とは、新しい実在論を芸術哲学に応用すること、つまり新しい美的実在論を考えることだ。新しい実在論は現代哲学の世界的動向となっているが[12]、それは要するに、以下のような主張に対して異議を唱える議論だと言える。すなわち、現実とは人間の心によって構築されたものであり、言葉や権力構造や信念その他でできた、構築物とみなすべきだ、という主張である。だが、現実を構築物と考えるべき理由

12 新実在論の入門書としては、以下を参照。マルクス・ガブリエル『なぜ世界は存在しないのか』（清水一浩訳、講談社、二〇一八年）; Maurizio Ferraris, *Manifesto of New Realism*, trans. Sarah De Sanctis (Albany: SUNY

がそもそもないとしたら、アート作品を構築されたものとみなす考えにしがみ付く必要などあるだろうか。

一般的な傾向として、アートは構築主義の言葉で語られている。この傾向に決着をつけるために、思い出してほしいことがある。芸術史と芸術哲学を辿り直してみても、成功した芸術作品の特徴、つまりその美しさは、人の生み出したものであるとは考えられてこなかったということだ。つねに、とは言わないまでも、ほとんどの場合、美が人間の構築物であるとは考えられてこなかったのである。それどころか、プラトンとアリストテレス以来、芸術哲学は伝統的に、現実の美しさを現実それ自体のなかに見出そうと努めてきた。だとすれば、なぜアート作品を構築物と考えねばならないのか。

美的構築主義を陰で支える問題の元凶は、現代的ニヒリズムという、人

Press, 2014). 現実は一般に構成されたものであるか、さもなければ人間の活動に相対的であるとする考え方への強力な反論としては、以下を参照。ポール・ボゴシアン『知への恐れ』（飯泉佑介、斎藤幸平、山名諒訳、堀之内出版、二〇二一年）; Paul Boghossian, *Fear of Knowledge: Against Relativism and Constructivism* (Oxford: Clarendon Press, 2007). ラディカルな構築主義を死の床から蘇らせようとする最近の試みとしては、以下を参照。Donald Hoffman, *The Case against Reality: How Evolution Hid the Truth from Our Eyes* (London: Allen Lane, 2019). この徴候に対する批判としては、マルクス・ガブリエル『「私」は脳ではない 21世紀のための精神の哲学』（前掲書）を参照。

間をいまだ牢獄に閉じ込める例の世界観である。現代的ニヒリズムはこう主張する。それ自体としての現実は、自然科学の対象でしかありえない。現実に存在するもの、現実的(リアル)なものが、私たちの感性に直接現れることはない、と。現代的ニヒリストの考えによれば、私たちの感性は実在そのものがどのように存在するかを決して明らかにできない。ニヒリスト曰く、現実世界は純粋物理学が教える色のない世界、真空中の素粒子からなる世界である。物理学が記述するものだけが現実であるとしたら、アート作品は必然的に、本当の意味で実在の一部をなしていないことになる。確かに、アート作品は本質的に私たちの感性を頼みにしているので、制作のもととなる物質に還元できないことは事実だ。

モネの《印象、日の出》は、単にさまざまな物質を組み合わせたものではない。この作品が私たちに感銘を与えるとき、必然的に何らかの印象が生まれる。この絵には、物事を違ったように見せる力がある。その力がどこからくるのか、さまざまな視点から作品に近づき理解しようとするにつれて、作品はますます強く私たちを動かす。あたかもモネは、彼が作ったのではない何らかの実在に触れ、それを鑑賞者に示しているかのようだ。なるほど、モネは一枚の絵を描いたかもしれない。だが、この絵画の素晴らしい美的価値を私たちが理解するための条件自体は、モネが作ったものではない。人が美的価値を生み出すのではないのだ。モネに私の抱く印象、私の物理的状態を生み出すことはできない。ある作品を鑑賞するとき私が抱く美的経験を、アーティストの側で勝手に予測したり、産み出したりすることはできない。ある作品を前に鑑賞者一人ひとりが感じることを正確に予測する力など、誰ももってはいないのだ。

モネが美を生み出したと言うのはナンセンスである。せいぜい言えるのは、彼が何か美しいものを作ったということでしかない。ここで、「美しい」や「美」という言葉は、「醜い」や「醜悪」がその対義語となるようなひとつの美的基準を定めている。注意すべき点は、芸術的ではない基準で「醜い」と言われるもの（たとえばピカソの描く女性たちのデッサン）も、芸術哲学の観点からみて「美しい」場合があるということだ。美は心理学的な構築物ではないので、人間が一匹の動物として良い、悪いと感じたことのみには還元できない。私が拠って立つ芸術哲学の観点においては、美とはなにかが成功していることを示す言葉である。美は単に美学的な成功を示す規範の名であり、醜悪はその反対である美学的失敗の名にすぎない。アート作品を生産し受容する文脈の外で何が美しく、何が醜いと言われるかは、単純に言って、アートの価値に関する議論から存在論的に独立したことなのである。

別の言い方をすれば、私たちは美しいものの経験を、快楽から区別すべきなのだ（両者はたいてい結びつくことが多いとはいえ）。イマヌエル・カントは『判断力批判』において、美的なものと心地よいものは区別されると述べた。この有名な区別は上の洞察を違った形で述べたものだ。ただし、カントの議論にはひとつ問題があった。美は見る者の目に宿る、と考えたことである。

美学と知覚

知られるように、近代哲学、とりわけカントと一八世紀における彼の先駆者たち（とくにデイヴィッド・ヒューム）が、芸術哲学を美学（エステティクス）＝感性論に変えた。美学とは知覚（aisthêsis）を扱う専門分野である。乱暴に要約すればカントはこう考えた。芸術作品（に限らず、あらゆる素晴らしいものや崇高なもの）は、私たちが事物をどのように知覚するかに関して何かを教えている、したがって、アート作品を知覚するとは、知覚に関する何かを知覚することである、と。カント曰く、美しい対象は、特有の心の状態、すなわち「認識能力の自由な働き」[13]を引き起こす。その心の状態をもって、私たちは「これは美しい」という判断を表明するのであり、そこでなされる美的判断は、対象ではなく、対象と私たちの関係こそを規定している、このようにカントは考えたわけである。不幸にもカントは、のちに「美的経験」と呼ばれるものを、ある種の（関心から離れた）快と同一視することで、経験論の伝統を継続してしまった。

カント流の繊細な概念で論じられているが、以上の議論は次のごく当たり前の考えを言い換えたものにすぎない。つまり、対象や個人がそれ自体

13 カント『判断力批判』§9。

として美しいのではない、美しさは観察者の視線に宿る、という考えだ。誰もが知るように、私たちは恋に落ちた相手のことを美しいと思うものだし、関係が終わればそのメッキが落ちることもある。恋に落ちた人が愛の対象を美化するところを、誰でも見たことがあるだろう。そうした投影のメカニズムを決定する諸原則について説明することで、単純な主観主義に陥ることがないよう、カントは構造という概念を用いている。それによれば、鑑賞者の普遍的構造（私たちのさまざまな心的能力と任意の状況下におけるその相互作用というアーキテクチャ）が、美的判断のハイブリッドな客観性を保証しているのだという。私たちが外の現象世界と知覚的関係をもつときには、あらゆる主観に普遍的に備わる構造が働く。美的判断は主観の普遍的構造と関係しているのだから、客観的である、というわけだ。

ここまでは問題ない。だがカントは以上のありふれた観察に面白いひねりを加えた。アート作品はあるがままの現実について私たちに何も伝えておらず（われわれは現実そのものにアクセスできないとカントが考えていたことは有名だ）、むしろ私たちが上記の現実をどう眺めているかを教えている。あるアート作品を適切に解釈するとき、そこで私たちに知らされるのは、自分がその作品をどのように眺め、聞き、味わっているかということ、つまり、われわれが事物を感じるやり方である、そうカントは考えたのだ。

ベルナール・ビュフェが描くフクロウは、単なるフクロウのイメージではない。それは、私たちがフクロウを思い描くやり方を表象している。したがって、ある作品が「成功している」とか「アートとして優れている」と言うとき、つまり、あるアート作品を美しいと判断するとき、それが意味するのは、自分がフクロウのようなものを眺めるときのそのやり方について何かを学んだ、ということになる。『ツイン・ピークス』の有名なセリフを引用すれば、アートにおいて「フクロウは見かけとはちがう」というわけだ。アート作品において、フクロウはフクロウではない。ルネ・マグリットが有名な《イメージの裏切り》で示したように、パイプはパイプではないのだ。

現在も支配的なカント哲学の伝統にならって言えば、描かれたフクロウは別の種類のフクロウではない（最近発見された新種ではない）ということになる。以上の凡庸な観察から出発することで、伝統的なカント哲学は、アート作品が実際には決して現実を扱っておらず（現実のフクロウやゲルニカの爆撃やパリの大通りを扱っておらず）、つねに私たちが現実を知覚するやり方だけを扱う、と主張する。カントはアートを、アートが鑑賞者に与える効果に還元したのである。その結果、ある作品が私たちの美的経験にどうして力を及ぼすことができるのか、もはやよく分からなくなってしまった。カント哲学の枠組みでは、アート作品は他の対象と同じように、私たちの知覚から引き離されている。美的な判断と美的でない判断の違いは、せいぜい美しいものを鑑賞する際には主観的なパラメータがもう一つ付け加わるというだけのことになる。

そんなはずはない、とあなたは反論するだろう。実際に、私たちはアート作品を現実に見出していると。それは、フクロウやパリの大通りや爪、ホッキョクグマ、エマニュエル・マクロンを現実に見出すのと何ら変わらないことだ。人間の知覚についても同様である。人間の知覚は、どこか別の場所から現実を観察しているわけではない。カントの試みの出発点はまさに、客体を（現象としての）現実に位置付け、主体（思考を思考する者）を客観的現実の外に置くことにあった。しかし、この考えには根本的な不備がある。というのも、それでは私たちが自分の知覚の対象と同じ領域に存在することが説明できないからだ。もし知覚する主体が電磁気力的な場と本質的に結ばれていないとしたら、私たちは文字通りまったく何も知覚できないだろう。

私たちが対象を知覚できるのは、その対象と同じ領域に存在しているからにほかならない。[14] 私の哲学用語で言うなら、同じ意味の場に存在しているということだ。意味の場とは、簡単に言えば、特定の仕方で現れたさまざまな対象の総体のことである。たとえばパリというのは、地下鉄、市長、規制、建築、レストラン、匂い、観光客、大聖堂、天気予報、下水道、郊外、仕事といった複数の対象が総体としてひとつの役割を演じる、その構造である。今並べた対象は、さまざまなやり方で繋がっている。たとえば、規制は食品生産を管理する。天気予報は観光客を動かす。建築物は私たちの動きを編成する、などなど。だからこそ、パリはさまざまなやり方で意

14 マルクス・ガブリエル『なぜ世界は存在しないのか』（前掲書、九七頁以下、とくに一〇二頁）とMarkus Gabriel, *Field of Sense: A New Realist Ontology* (Edinburgh University Press, 2015) を参照。

味を帯びるのだ。

意味の場は無限にある。対象を見る無限のやり方があるのだ。そのひとつの理由は、私たちが現実をあれこれの仕方で眺めるからだが、単にそれだけではない。現実はそれ自体無限に複雑である。このことは、数学に無限が存在することから推論される確かな事実だ。[15]対象を組み合わせ、それを編成し、また再編成するやり方は、無限にある。

私が意味の場と呼ぶのは、典型的に言って、今われわれの前に広がるさまざまな対象の編成のことである。どのような形であれ、私たちはまさに意味の場のただなかにいる。ここで心に留めるべき重要な点は、私たちがそうしたすべての意味の場を作ったわけではないという点だ。質量や素粒子スピン[16]、銀河の数や数学的真理は、私たちが作ったものではない。今ここに存在するすべてが、誰かの作った製品や作品であるというわけでは

15 次を参照。デイヴィッド・ドイッチュ『無限の始まり』(熊谷玲美、田沢恭子、松井信彦訳、インターシフト、二〇一三年)。

16 (編者注)スピン角運動量。量子力学においてスピンとは、質量や電荷と同様に、素粒子がもつとされる内的属性。

ない。端的に、無数の対象と意味の場があるのだ。それは現実におけるむき出しの事実であり、私たちにはいかようにも変更できない。それゆえ、一方に精神を切り分け、他方に世界を切り分けることはできない。むしろ反対に、精神はひとつの意味の場であり、現実に関わる一部としてまさしく実在するのだということを、理解しようとつとめるべきなのだ。それが理解できてようやく、「心の外にある(エクストラメンタル)」現実という幻想を厄介払いすることができる。精神の外部にある現実こそが、存在するということや実在するということの意味を決めている、という幻想をふり払わねばならない。なぜなら、まさしくこの誤った偏見によって、私たちはアートの力に対して盲目になるからだ。[17]

カント美学の核心をなす前提には、近代哲学と同じ基礎的誤りがある。精神と世界を対立させるという誤りだ。「向こうの」世界が実際に「鑑賞

17 私はすべてが心的であるとか、何らかの形で心のなかにあるとは言っていない。もちろん、現実のいくらかは心の外にあり、その意味で、外的な現実を形作っている。しかし、その外的現実こそが現実で、他には何もない、ということにはならない。外的現実は現実のひとつの範囲であり、無数の意味の場のひとつにすぎない。

者のいない世界」だと信じること。まさにそうした文脈で、カントは次のように想定した。すなわち、アート作品や他の美しい対象が知覚可能な現実としてあるおかげで、われわれは自分たちという知覚可能な現実の外にいる存在について、いろいろと教えてもらえるのだ、と。なるほど、私は自分が物理世界に存在する単なる感覚的物体ではないと認めるのにやぶさかではないし、われわれ人間存在が本質的に感性の領域を超越するものであると認めてもいい。だからといって、アート作品は実際に知覚可能な諸現実とは無関係である、などと誤解する理由にはならない。

以上のことは、「知覚」の意味について考えさせる。知覚とは何であり、それはアートとどう関わるのか。知覚とアートの関係はどうなっているのだろうか。

ここで二つのモデルを区別しなければならない。最初のモデルは誤ったモデルであり、現象学に属している。だからこれを現象学モデルと呼ぶことにしよう。現象学モデルによれば、私たちは対象を知覚するとき、物自体の影ないし射映（Abschattungen）[18]を参照している。知られるように、エトムント・フッサールはそれを「現象」と呼んだ。違う言い方をしてみよう。私がある視点からテーブルを見るとき、まさにその事実によって、その他の視点は私に見えていない。私たちの知覚は、決してテーブルを全体として把握することができない。というのも、テーブルを視覚的に眺めるというそのことだけで、テーブル全体は私たちの知覚から隠されてしまうからだ。テーブルに関して見えているのは、せいぜいひとつの観点からの眺めにすぎない、というわけである。

以上のモデルの根本的に厄介な点は、懐疑論を増長させることだ。私たちには、対象を現実的、直接的に知覚する能力が備わっていない、と主張

18 〔訳注〕『現象学辞典』（弘文堂）によれば「事物が直観される際の特有の与えられ方」。同じ対象も見る角度や時間帯でさまざまに違って見える。私たちは、同一のものを異なる像の現出において認識する。これを現象学においては、事物が「射映する」と表現する。

する人の議論に、このモデルは与してしまう。こうした文脈において、懐疑論は、知覚に依拠すること（だけ）では、実際の対象について決して何も知ることができない、と主張するのである。

現在「思弁的実在論」の旗印のもとに集まる哲学的考察のほとんどが、まさにこうした懐疑論的視点を現象学から借用していることに注意しよう。たとえば、フランスの哲学者カンタン・メイヤスーは、彼のたいへん注目された著書『有限性の後に』のなかで、知覚に基づく認識（あるいは知覚的認識）にどんな役割も認めておらず、現実は原則的に知覚できないものであると定義している。同じく、現代のアート業界でよく読まれているグレアム・ハーマンは、対象それ自体をあるがままに認識するどんな能力もわれわれに認めていない。私たちが対象を捕捉しようとしても、対象はそこから逃れていく、というわけだ。[19]

19 カンタン・メイヤスー『有限性の後で：偶然性の必然性についての試論』（千葉雅也、大橋完太郎、星野太訳、人文書院、二〇一六年）、グレアム・ハーマン『四方対象：オブジェクト指向存在論入門』（岡嶋隆佑監訳、人文書院、二〇一七年）。

以上の議論を芸術哲学に応用すればどうなるか。あるがままのアート、あるいは私がアートそれ自体と呼ぶものに、私たちが美学を通じて実際に触れることなどありえない、ということになる。それゆえ、現象学モデルの考えにしたがうなら、アートそれ自体が本当の意味で実在の一部をなすとは言えなくなる。アートは、事物をあるがままに知覚できない私たちの無能力が露呈される一場面にすぎない、というわけだ。[20]

結局のところ、現象学は私たちの感性を軽視している。私たちが現実と接触するやり方をあまりにも軽く見積もっているのだ。そこから、「われわれは対象を現実的に認識することができない」というあの懐疑論的な態度が生まれてくる。だが、現象学モデルは次の明白な理由によって根本的に間違っている。つまり、私たちは現に対象を知覚しており、また実際に知覚のおかげで対象について多くを教わっているのである。私がテーブル

20 この点を明確に論じている研究として、Graham Harman, *Art and Objects* (Cambridge: Polity, 2018) を参照。私が本書の初版を書いたとき、ハーマンの著作はまだ刊行されていなかった。したがって、高度に練り上げられた彼の論点について、この短い議論では細部まで十分公平に評価できていない。ハーマンの考えについては、また別の機会により詳しく取り組むことにしたい。

を見るとき、あるいは——おっとびっくり！——妻の足音を聞くとき、私が知覚するのはテーブルであり、妻の足音だ。同様に、私がピカソの《鳩》を知覚するとき、そこで知覚されているのは《鳩》なのだ。

もちろん、テーブルのようなものを知覚することと、オルガ・ノイヴィルトの楽曲を聴いたり、ピナ・バウシュの《アリア》を観たりすることの間には、根本的な違いがある。後で見るように、その違いは主観の側にではなく対象の側に、知覚する行為の側にではなく知覚されるものの側にある。アート作品は、科学的対象であれその他の対象であれ、普段目にする対象とは明らかに異なる。というのも、アート作品は知覚関係のなかに入り込むことで、自分自身を知覚させるからだ。言ってみれば、アート作品には、人に自分を思考させる能力があるのだ。そしてその能力は、私たちがアート作品について考えるときに発現する。

以上のことは、よく知られた単純な例で分かりやすく説明できる。ロダンの彫刻《考える人》は、特定の形をした青銅像の見た目をしている。ところで、青銅は考えない。あなたが見つめるその青銅製の像は、明らかに知覚する能力をもたない。ところが、あなたが「この奇妙な作品は何を意味するのだろう」と自問するやいなや、彫像はあなたを考えさせる。作品はあなたのうちに様々な思考を呼び起こし、そのようにして作品それ自体のことを考えさせはじめる。アートはこのように、私たちの神経システムと精神を使って自分を現実化するのだ。そこから何が言えるかについては、あとでより詳しく論じることにしよう。

先に第二の知覚モデルの大まかな特徴を見た方が、私の議論の方向を理解しやすいだろう。私はこれを新実在論モデルと呼んでいる。新実在論モデルは、射映（Abschattung）の概念を、波動（Abstrahlung）という場の概念に置き換える。ひとつ例をあげよう。九月の気持ちの良い午後、あなたは地中海に面した南仏の町サナリー＝シュル＝メールで太陽を見ている。現象学者はすぐ異論を唱えるだろう。「あなたは本当に太陽を見ているのでしょうか。あなたが空に見ているのは、日傘や自分の手で覆い隠すことのできる何かですよね。しかし明らかに、太陽を日傘や手で包みこむことはできません。太陽はそれをするにはあまりに巨大です。したがって、そこにあるのは直接知覚された太陽そのものではなく、あなたが知覚している何かではないですか？私たちが「太陽」と呼ぶその空の箇所はどうなっていますか？それはどこにあるのかな？」と。

この問題について、新実在論が提案するのは、私たちの理解をごくシンプルに見直すことだ。物理学の観点に立って、太陽を電磁気的な場として考えてほしい。太陽がわれわれの感覚センサー（私たちの肌、神経終末、その他）を触発できるのは、太陽の電磁場が私たちのところまで拡がっているからにほかならない。私たちはそれを陽の光として感じるのだ。陽の光が私たちに感じられるとおりの形で存在するのは、まさに太陽が場であり、空の彼方にあるのでも（空というのはどのみち物理的な場所ではない）、太陽系の中心からの遠近で測れるどこかにあるのでもないからである。太陽は、その性質を測定する地点によって強度が変わるようなひとつの場であって、何かの中心に存在しているわけではない。私たちの知覚は、太陽＝場の性質を、その太陽＝場のなかで自分の置かれた位置から測定する。要するに、私たちは太陽のなかにいるのだ！地球は太陽から遠くにあるのではない。ただ太陽の中心で起きるプロセスからとても隔たっているにすぎない。今われわれが暮らす地点は、太陽のなかの居住可能な一部分なのだ。

私が空に手をかざすとき、それによって覆い隠されるもの、私の視野から徐々に消し去られるものは、太陽でもなければ、太陽の中心でもない。それは、物理的力や無数のプロセスの相互作用によって作り出された、知覚的見せかけ（イリュージョン）である。この知覚的見せかけには、物理的な力はもちろんのこと、私自身の身体で作用する複数のプロセスも含まれている。知覚とは、二つの孤立した物体（太陽と私）の間に生じる外的な関係ではない。それは、さまざまな意味の場が固有の仕方で重なり合ったものであり、それが「知覚」と呼ばれる現象を引き起こすのだ。そうした現象構造のただなかにいても、私たちは知覚対象と知覚的見せかけを区別できる。つまり、太陽それ自体と、光学、幾何学、神経科学、医学、心理学などの分野で研究されるさまざまな力やプロセスが生み出すものとを、区別できるのだ。

この点に関して、フランスの哲学者ジョスラン・ブノワは適切な指摘をしている。それによれば、私たちを欺くのは知覚的見せかけではない、現

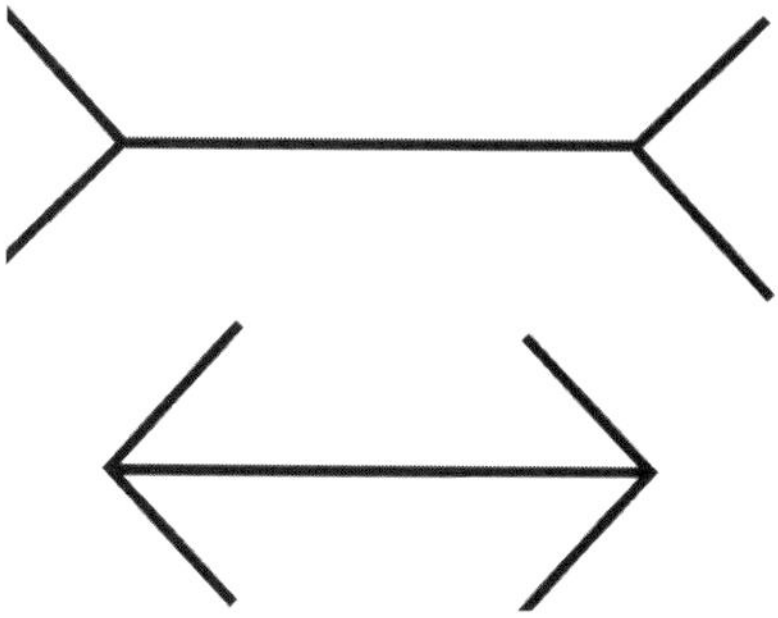

図1 ミュラー・リヤーの錯視 （Andrew M.Colman『心理学辞典』藤永保・仲真紀子監修、丸善、2005年）

象に対する私たちの解釈なのだ。ブノワによれば、解釈による欺きは、たとえば有名なミュラー・リヤー錯視のような場面で生じる。同じ長さの線分が二本あるとしよう。最初の線分には、矢印のように先が内側に折れた先端がついており、二番目の線分には先が外側に開いた先端がついている。この仕掛けによって、あたかも最初の線分が二番目よりも短いかのような錯覚（イリュージョン）が生まれる。仕組みを知っていたとしても、錯覚を修正することはできない。錯覚は、脳が長さを認識するとき用いる知覚システムに、あらかじめセットされているからだ。もし私が二つの線分は同じ長さをしていないと考えたなら、私は間違っていることになる（知覚対象としての線分の長さは等しいのだから）。だからといって、知覚に現れた線分が、それとして私を欺いているわけではない。それどころか反対に、そうした知覚的見せかけ（イリュージョン）が知覚対象と一緒に現れるおかげで、私は実際に知覚する対象について、より多くのことを知りうる立場にある。[21]

表面に現れない自然の力や物理力は、知覚を構成するプロセスと同じく、どこか隠された別の世界に存在しているわけではないし、私たちの手の届かないところにあるわけでもない。逆にそうした力は、私たちがそれ自体としての事物、つまり太陽やテーブルなどの知覚対象に、直接触れるための手段なのである。

問題が美学になると、事態はこれよりやや複雑に、そしてより面白くなる。注意すべきことは、知覚が三項関係だということだ。つまり、①知覚

21
以上の議論は、ジョスラン・ブノワの次の本でも論じられている。Jocelyn Benoist, *Le Bruit du sensible*, Cerf, 2013.

対象は、②知覚する者に、③知覚的見せかけ（イリュージョン）の形をとって現れる。私たちはこれを知覚対象それ自体の属性として理解してかまわない。知覚対象がもつ属性には、知覚されるという関係のなかで見出されることが含まれるのだ。知覚されることは現実に起きる出来事であり、非物質的な精神に現れた想像上の出来事などでは決してない。知覚は事物の核心において、現実に生じている。たとえば太陽は、認識できないほどわずかであるとはいえ、誰かに知覚されるとき文字通りのその存在のあり方を変化させる。私たちはそこで太陽＝場と物理的に相互干渉し、それを違った形に変容させるのだ。

　さてここで、物理的な太陽をモネの《日の出》に置き換えてみよう。絵の場合、対象はもちろん電磁気学的な太陽ではありえない。そちらの太陽は、油彩画で再現できるようなものではない。絵具はそれに適当な材料ではないし、どんなカンバスも太陽系の天文物理学的な大きさには到底足りない。だからといって、「モネの描いた太陽は太陽ではなく、太陽の表象、あるいはそのイメージでしかない」と述べるとしたら、それは間違った解釈である。こう述べるほうが正しい。モネの絵画は、実際に太陽を描いている、ただし、それは太陽についての知覚的見せかけ（イリュージョン）を、知覚対象の形に変形させたものなのだ、と。私たちがモネの絵の上に知覚するのは、私たちの太陽の知覚である。つまり、そこで私たちはひとつの関係を知覚しているのであり、ありふれた対象を知覚しているのではないのだ。

美的経験、すなわち、アート作品の知覚は、一般に間接的段階の知覚関係である。知覚関係についての知覚関係なのだ。

パフォーマンスとしての解釈

話がここまで進んだところで、次のような疑問が湧くかもしれない。解釈や想像は、そこでどんな役割を果たしているのか、と。アートについて哲学するなら、次の事実を考慮に入れる必要がある。つまり、私たちは決してアートを知覚のみで受容していない、という事実だ。そう考えてしかるべき確かな理由がある。音楽を例にあげよう。たとえば交響曲を聞くとき、知覚の一時点に楽曲全体が現れることは決してない。それでも、曲としてのまとまりは知覚において維持されている。交響曲を理解すること、つまり、そこに単なる雑音ではなく音楽を聴くということは、その構成（コンポジション）を聴き取るということだ。つまり、連続する音響現象を分節している、その規則を聴くことなのだ。

ジョン・ケージは有名な《4分33秒》という作品（コンポジション）によって、この考えを極端まで押し進めた。ケージがそこで示したのは、彼の作品（コンポジション）がコンサート中に聞こえる雑音を超越するということだった。《4分33秒》は沈黙の楽曲ではない。それは、聞こえてくる雑音のなかで、人に自らを聴き取らせる構成（コンポジション）=作品なのだ。そこで、アーティストや音楽家は、聴く者の純粋な美的音響経験にまったく干渉していない。《4分33秒》は純然たる作品であり、まさにそれが作品として成立すると示すことで、音楽の本質がそれ自体何であるかを実演してみせるのだ。

アート作品はひとつの観念（アイディア）によって編成されており、それによってさまざまな感覚的要素を統合している。彫刻は単なる対象（オブジェ）ではない。それは観る者と美術館の壁の間に突っ立っているだけの「自由な通行の障害物」[22]ではないのだ。パリのコンコルド広場には、エジプトのルクソールから運

22 ボンで行われたセミナーで、アメリカの哲学者チャールズ・トラヴィスは、対象（オブジェ）の概念の問題点を指摘するために、この便利な表現を使った。アート作品をひとつの対象（オブジェ）とみなすことには、自由な交通の障害物と思考や知覚の対象を混同させるという問題がある。

ばれたオベリスクが建っている。パリの都市計画者がオベリスクの周りに環状交差点を作ったのは、真ん中の障害物を迂回する道を作るのが面倒だったからではない。展示された彫刻は、うまい具合に加工された大理石やブロンズの塊ではなく、何らかの非物質的な構想にしたがって物質を配置している観念なのだ。

ロダンの《考える人》が作られた目的のひとつは、明らかにそこにある。青銅という物質のうちにひとつの観念を実現することで、この彫刻はほかならぬこの彫刻自身を問題にしている。注意すべき点は、彫刻が形を付与された物質と、非物質的観念の組み合わせ(コンポジション)であること、そして、その組み合わせ自体は物質的なものではないことだ。この作品には、少なくとも三つの要素が入り込んでいる。青銅と、形と、表現された観念である。アート作品はこの三つの要素のどれにも還元できない。作品とはまさしく、青銅、形、表現された観念を一緒に貼りあわせたもの、その組み合わせ（コンポジション）自体なのである。

これからさらに詳しく見ていくが、今問題になっているのは、アートの自律性の本当の意味である。アートは、作品それぞれが諸要素のユニークな組み合わせ（意味の場）を成すという点で、ラディカルに自律している。だからこそ、それ自体としてのアートは、公共空間やその社会政治的な構造を超越する。人間は社会政治的な関係のなかで自分の振る舞いを取り締られているが、アートはそうした人間の社会政治的秩序に属するいかなる規則にも従っていない。アートそれ自体は、制度ではないのである。

オーストリアの彫刻家アーウィン・ワームは、有名な《一分彫刻》シリーズ[23]を通して、まさにそうした考えを表現している。《一分彫刻》が作品として成立するためには、来場者の参加が必要だ。《一分彫刻》はたいてい

23 彼の作品の外観を知るには、二〇一七年ヴェネツィア・ビエンナーレで刊行された以下の本を参照。サイモン・ベイカーとマルクス・ガブリエル、ピーター・ウェイベルの論考が収録されている。Christa Steinle, *Erwin Wurm, One Minute Sculptures, 1997-2017*, Hatje Cantz, 2017.

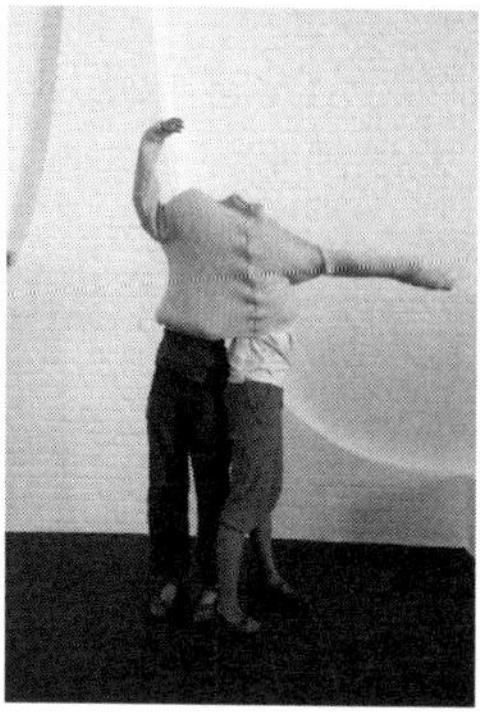

図2 アーウィン・ワーム《一分彫刻》（Christa Steinle, *Erwin Wurm, One Minute Sculptures 1996–2017*, Hatje Cantz Verlag, 2017）

何らかのオブジェの形で来場者の前に提示される。たとえば、大きなセーターが台座に置かれていて、そこにあなたへのメモ書きとして「これを他人と一緒に、袖口と襟口を共有するような仕方で着ること」といった指示が書かれている。この指示が守られたとき、はじめて彫刻は完成するわけだ。

この作品からはさまざまなことが言えるが、それはとりわけ以下のことを証明している。すなわち、彫刻は、伝統的な動かない塊状の見た目をしていようといまいと、アーティストが造形した対象（オブジェ）なのではない、ということだ。《一分彫刻》の場合、アーティストだけでは作品を完成させることさえできない。実際、どの一分彫刻も、使われた素材（セーターと、パフォーマンスの仕方を伝える指示書き）を損ねることなしには終わらない。それまでは、つねに別の解釈（インタープリテーション）の余地がある。楽譜とその実演を「演奏（インタープリテーション）」と呼ぶ意味での解釈である。解釈は文字通り作品の一部をなしている。アートの自律性を理解するためには、そうした意味における解釈（インタープリテーション）＝実演の契機が不可欠なのだ。解釈というのは、理論的な構築物でもなければ、しかじかの作品をめぐる学識豊かな注釈でもない。解釈とは、その都度行われるパフォーマンスのさまざまな実例なのだ。

アーウィン・ワームの《一分彫刻》は、アート作品のそうした性格を明らかにしてくれる。その意味において、彼の作品は彫刻がアートの一形態であると証明しているのだ。楽譜が演奏を待つように、彫刻も存在するために解釈を待つ。彫刻とは、何らかの動かない受け身の物質（青銅、大理石、その他）をある形に造形することではない。彫刻には、物質的なパフォーマンスが必要である。大理石のなかにひとつの彫られた形を実際に認識するにせよ、あるいはアーウィン・ワームの場合のように、私たち自身が物質的対象（セーター、テニス・ボール、ペットボトルなど）を使って何かを行うにせよ、物質的パフォーマンスが必要であることにかわりはないのだ。

その点において、アーウィン・ワームの彫刻と、たとえばロダンの《考える人》には、突き詰めればどんな違いもない。言うまでもないが、ロダンにおける真の《考える人》は、ただの青銅の塊ではない。《考える人》によって表現された「考える」という行為は、実のところ、そのブロンズ製のオブジェと鑑賞者の間に生じている関係そのものである。《考える人》という作品は何を意味するのか、と私たちが問うとき、知覚されているものと、私たちがその対象と向き合うやり方の間に、思考を通じた関係が打ち立てられる。彫像を解釈するやいなや、私たちが《考える人》になるのだ。

議論をさらに進めよう。当たり前のことだが、いかなるブロンズの塊も考え事をしていない。そんなことはないと言うなら、私たちは誤ってこう信じていることになる。「しばしばこのオブジェは素朴に彫刻（展示された青銅製の物）だと思われているが、そうではなく、このオブジェは考えている人そのものなのだ」と。そうなったら、アート作品はそれ自体ひとつの錯誤ということになるだろう。まさにそう考えたのが、伝統的にある誤った芸術批判だ（ソロンやプラトン、一神教的宗教など）。曰く、アートは嘘、錯覚、偽りでしかない。私たちはアートを崇敬すべきではなく、なぜならアートは私たちを迷わすものだから。《考える人》はいかなる意味でも考え中の人ではなく、ただのブロンズの塊にすぎないのに、私たちはそれを誤って

「考える人」と解釈している、というわけだ。
ここで知覚が三項関係であることを思い出そう。知覚は、私たちと対象の間に位置し、現実にもうひとつ別の次元を加える。その第三の次元とは、関係の形式である。私たち人間も、多くの他の動物たちも、関係の形式のなかで対象を知覚する。その形式には、たとえば、色や音、匂いや硬さ、サイズ、動きなどが含まれる。この形式を超えてしまうと、私たちはヘーゲルが皮肉を込めて「不定形な塊」と呼んだものとしか関係を結べない。ヘーゲルは、カントの認識と知覚の理論を攻撃した一節で、次のように述べている。

客観性や安定性はもっぱらカテゴリーに由来するものだが、物の領域それ自体にカテゴリーはない。それでもやはり、物の領域は自己に対して、反省に対して存在している。物の領域については、おとぎ話に出てくる青銅の王様のようなものとしてしか思い浮かべることができない。人間の自己意識が客観性という血管を通ってこの王様に浸透することで、王様は彫像として立ち上がるのだ。ところで、形式ばった超越論的観念論は、この彫像から血管を引き抜いてしまう。その結果、彫像は崩れ落ち、形相とも質料ともつかない中途半端な、見るも痛ましいものになる。自然を認識しようにも、自己意識が自然に注入する血管がなければ、ただの感覚しか残らないのである。

そうなったら、今度は経験におけるカテゴリーの客観性や、そうした関係の必然性の方も、何か偶然的なもの、主観的なものとなることだろう。[24]

知覚主体と客体の間に結ばれる関係は、それ自体が実在の一部を成している。関係はそれ自体完全に現実なのである。知覚は私たちの頭のなかに

24　G・W・F・ヘーゲル『信仰と知』（上妻精訳、岩波書店、一九九三年、三三頁に該当）。〔訳文は、底本のフランス語に沿って、訳者が訳した。〕

あるわけではない。私が青銅像を見るとき、私は公共の対象、誰でも等しく目にすることのできる何かを見ている。私は自分の心や脳のなかで何かを生み出しているのではない。知覚は現実に、そこに在るのだ。ただし、あなたに私の知覚を見ることはできない。なぜなら、それは定められた鑑賞者と対象の間にある関係だからである。関係それ自体は、誰からでも知覚できる対象ではないのだ。

　驚くべきことに、このことを最初に理解した哲学者のひとりはアリストテレスだった。もっとも、アリストテレスはその事実に大した重要性を見なかったのだが。彼は『魂について（デ・アニマ）』のなかではっきりこう尋ねている。われわれは対象をさまざまに異なった感覚様式で扱うのに（彼が言っているのは、視覚、聴覚、触覚、味覚、嗅覚のことだ）、どうしてひとつの対象として知覚できるのだろうか、と。そこからアリストテレスは「共通感覚」

(aisthêsis koinê) という仮説を検討した。感覚器を通じて得られる経験は、共通感覚によって対象をめぐるひとつの知覚的経験に統一される、と考えたのだ。[25] だが私が考えるに、アリストテレスは共通感覚の可能性を放棄している。代わりに彼は、対象と知覚主体の間に、彼が「ロゴス」と呼ぶ関係が打ち立てられる、と考える方を好んだ。その関係、つまり知覚は、さまざまな感覚様式に付け加えられた、別の感覚様式のようなものではない。そうではなく、ロゴスは知覚関係がとる形式なのだ。

以上をわかりやすく説明するために、また「新実在論」がどのように役立つかを示すために、私の好きなたとえを紹介しよう。[26] 今、あなたがイタリアのナポリにいて、海岸からヴェスヴィオ山をじっと眺めていると想像してほしい。火山は明らかに知覚の対象であり、あなたはその知覚の受け手、主体である。だが、あなたが火山を見るには、火山とあなたに加えて、

25 アリストテレス『魂について』(邦訳『心とは何か』桑子敏雄訳、講談社学術文庫、一九九九年)、三巻、一、二章。

26 マルクス・ガブリエル『なぜ世界は存在しないのか』(前掲書、一四頁)を参照。

その手段、つまり視覚的な眺めが必要だ。あなたがナポリから火山を見ている間、別の誰かは南方のソレントからそれを見ている。各々に火山が現れるやり方は、火山やあなたの存在と同じくらい、確かな現実である。火山の現れ方は、まさにあなたと火山の間で、物理的な現実において生じる関係なのだ。

ドイツの物理学者トーマス・ゲルニッツは私に、知覚の形式を量子物理学の用語で考えるというアイディアをくれた。[27] ナポリからヴェスヴィオ山を知覚するとき、真っ先に確認される情報は、ヴェスヴィオ山がともあれ私たちのいるところに姿を見せている、という情報だ。そこに浮かぶヴェスヴィオ山のイメージ、つまり、その火山がほかの誰かに現れるのと違った形で私に現れているという事実は、私の脳が勝手に作り上げたものではない。私はただ、自分に備わる脳の力を借りて、ひとつの選別を行ってい

27 以下を参照。Thomas Görnitz, "Quantum theory as universal theory of structures — essentially from cosmos to consciousness", in *Adcances in Quantum Theory*, InTech, 2012. またドイツ語が読めるなら以下の本も強く推奨する。Thomas Görnitz, Brigitte Görnitz, *Von der Quantenphysik zum Bewusstsein — Kosmos, Geist und Materie*, Berlin, Heidelberg, Springer-Verlag, 2016.

るにすぎない。アメリカの哲学者マーク・ジョンストンが考えるように、私たちは目の前にあるものを選別して受け取るだけで、私たちがそれを生み出すわけではないのだ。[28]

その意味で、私たちはテレビ受信機に似ている。たとえば、私がTMCチャンネルで「コティディアン」を見ているとき、番組を作り出しているのは私の受信機ではない。受信機は番組を受信しているのだ。「コティディアン」の司会者ヤン・バルテスの様子や、私たちが彼を眺めるその視点は、テレビ画面に伝達されたものであって、テレビが作ったものではない。もちろん、これは今私が問題にしたいことのアナロジーでしかない。というのもテレビの場合、私たちは現実にもうひとつ別の層を足している。つまり、テレビ画面という、誰からも見ることのできる観点がそれだ。テレビはメタレベルのメディアであり、そこにはすでに、ある関係に対する別の

28 Mark, Johnston, *Saving God : Religion after Idolatry*, Princeton, Oxford, Princeton University Press, 2009.

関係が含まれている。私たちがテレビの映像を知覚するとき、そのイメージはすでに、配置された対象（スタジオの一場面）とカメラとの関係である。このように、テレビ番組には複数のメディアが含まれるが、そうであったとして、私が今している論証の妨げにはならない。

《考える人》に話を戻そう。イギリスの哲学者ジョン・オースティンは、思考とは何かを論じた一連の論考のなかで、たびたび「《考える人》は何をしているのか」[29]と問うている。私の答えは、「青銅像はまったく何もしていない！」だ。問うべきはむしろ、「《考える人》を前にしたとき、私たちは何をしているのか」という問題である。この問いに対する私の答えはこうだ。そのとき、私たちは《考える人》と呼ばれるアート作品を現実化している。そのパフォーマンスのうちに、私たちと青銅像の間の「考える」という関係が、本質的に含まれているのである。ヴェスヴィオ山が私たち

29　ジョン・L・オースティン『オースティン哲学論文集』（坂本百大監訳、勁草書房、一九九一年）。

〔訳注〕：おそらく著者の勘違いで、正しくはギルバート・ライル『思考について』（坂本百大ほか訳、みすず書房、一九九七年）か。ロダンへの言及はたとえば同書一三一頁を参照。

に自分を知覚させるように、青銅像は私たちに自分を思考させる。《考える人》を前にしたとき、私たちは考えずにはいられない。このように、私たちはアート作品それ自体の構成に組み込まれているのだ。

アート作品は解釈抜きには存在しない。ただし解釈といっても、決して明示的、理論的なレベルでアート作品を意味付けなければならない、ということではない。アートを解釈することと、理論的に分析することは、はっきり区別されねばならない。アート作品を解釈するとは、作品を知覚したり、それについて考えたりすることである。アート作品を知覚し、それについて考えることは、外側に現れる活動ではない。それは、アート作品それ自体の一部をなしている。これから見ていくように、それは次のことを意味する。すなわち、アート作品がそれを通して知覚され、思考されるような、ひとつの意味が存在する、ということだ。アートは客体化された主観性である。ただしそれは、自己反省を引き起こすような対象を介して、現実のうちで自らを思考する思考なのだ。

アメリカ合衆国の文学批評は（ちぐはぐに「フレンチ・セオリー」を標榜しているが）、アートが解釈に依拠するという事実を、別の間違った考えと混同する。すなわち、アートは理論的分析に依拠する、という考えだ。なるほど、意識的に「コンセプチュアル・アート」を名乗る多くの作品をはじめとして、アート作品のなかには、解釈と理論的分析がほとんど重なり合うような作品も確かにある。たとえば、ジョセフ・コスースの《*Four Colors, Four Words*》を考えてみよう。この作品は、題名の四つの単語をそれぞれ表す四色のネオンサインでできている。作品のタイトルにある「四色、四語」という自己言及からは、色々と面白い逆説が生まれてくるので、それについて哲学的に注釈する人もいるだろう。色付けられた単語はひとつの

図3 ジョセフ・コスース《Four Colors, Four Words》（Joseph Kosuth, *Guide to Contemporary Art*, Isabella Stewart Gardner Museum, Charta, 2003）

単語を意味するのだろうか、文字の形をしたネオンは文字なのか？ というように。答えがどうであれ、この作品は鑑賞者が理論的分析をするように誘いかける。これがたとえばピカソの彫刻なら、そうしたことは起きない。なるほど、ピカソの彫刻作品がアートとして存在するためには、やはり解釈される必要がある。だからといって、ピカソの彫刻をアート作品に変えるために、概念的、理論的なレベルで分析をする必要があるわけではないのだ。

自律性、ラディカルな自律性、オリジナリティ

アート作品は構成（コンポジション）されたものであって、特別な条件下（美術館、コンサートホール、映画館など）に展示された単なる物品（オブジェ）ではない。構成する（com-pose）とは文字通り、物事を一緒に配置することだ。アート作品はありふれた対象で作られることもあれば、そうでないこともある。だが、少なくともアート作品である以上、対象（青銅像や音声、口にされたり印刷されたりした言葉）はそこで何らかの解釈（彫刻として知覚されたり、小説として読まれたり、オペラとして上演されたりすること）と結びついている。

作品はさまざまな層で構成されており、その層のどれかひとつに作品を還元することはできない。これは決定的に重要な点だ。音楽は音の集合で

はないし、オペラは総譜と同じものではない。《考える人》は青銅製の彫像ではないのだ！アート作品をひとつのオブジェに還元してしまうと、作品が何やらミステリアスで理解不能な力をもつように見えてくる。これは、対象（オブジェクト）指向存在論に依拠する芸術哲学によく見られる問題である。対象指向存在論とは、現実、つまり実際に存在するものは個々の客体（オブジェクト）である、と主張する理論のことで、とくにアメリカの哲学者グレアム・ハーマンに代表される考え方だ。評判の著書『四方対象』[30]以降、ハーマンはずっと次のように主張してきた。曰く、現実は、われわれには捉え難い本質をもつさまざまな客体でできているという。ハーマンによれば、個々の客体は、私たちに明かされない側面をもつ。この世界は謎めいた客体たちからなる世界であり、アート作品がしばしば神秘の後光に包まれるのは、そうした事物のありようがアートにこだますからだ、とハーマンは主張するのだ。

30　グレアム・ハーマン『四方対象：オブジェクト指向存在論入門』（前掲書）。

しかし、作品の「客体性」を主張したところで、アートを理論に吸収するポストモダンの誤りには対抗できない。というのも、アート作品は、それこそ青銅の塊のように時空間に存在する単なる客体ではないからである。なるほど、アート作品を理論的分析に還元すると、客体やそれが有する内的構造が目に入らなくなる（これぞポストモダンの文学理論が促進してきた傾向であり、ハーマンはそれを正当に批判している）。客体や、その内的構造がなかったら、理論的分析を始める理由などそもそもないだろう。だからといって、解釈という段階を忘れていいことにはならない。解釈がなければ、アート作品は単なるオブジェか、たまたまそこにあった人工物でしかない。私たちは解釈によって作品に触れるのだ。対象指向存在論はそうした解釈的次元を無視している。だが解釈的次元なしには、客体の神秘的なオーラもまた存在しないのである。[31]

31　すでに注20でも指摘したが、繰り返しておくと、ハーマンの近著Art and Objects（『アートと対象』、未邦訳）はこの問題をさらに複雑に論じている。ハーマンは同書で、彼の武器であるオブジェクト指向存在論をあくまで固持しながら、人間の解釈と知覚に対して面白い位置づけを行なっている。

アートを構成されたもの（コンポジション）として捉えることは、アートの自律性に正しいやり方で気付くためのヒントになる。自律性とはもちろん、物や人がそれ自身の法則によって支配されていること、自身を構成する法則以外の何ものにも従属しないということだ。現実において自律しているのは、何もアート作品だけではない。イマヌエル・カントの実践哲学によれば、人間もまた自律した行為主体である。というのも、人間は心に抱いた自己像に従って行動するからだ。私たちは、自分自身や他の行為主体、あるいは自分を取り巻く対象について、その大部分を想像のなかで理解している。私たちは、自分が何ものであり、またどうありたいかという考えにしたがって、自分の生を生きているのだ。これこそ、サルトルが私たち人間の投企（プロジェ）と呼んだものである。カントが「格率（マクシム）」として語ったことについて、サルトルは類似の洞察を抱いた。つまり、人間存在は、先へと投影された自分の姿を目掛けるのだ、と。

われ、おのれの投企を抱く、ゆえにわれわれあり。人間同士の投企は互いに重なり合うが、つねに個人的に解釈される。そこから、人生それ自体をひとつの芸術作品とみなす考えが生まれてくる。残念ながら、どんな人生も作品になる、と考えるのはかなり無理があるだろう。人生を美的なものとして捉える考え方は、一九世紀末のパリで生まれ、それからニーチェの仕事を通じてさらに拡がった。しかし、そこではカントの重要な論点が見落とされている。確かに、カントは人間の投企に自律性を認めている（カントはそれを個人の行動原則（マクシム）と呼ぶ）。だが、それは私たちが何らかの普遍的構造、つまり、人間的存在としての構造を、互いに共有する限りのことでしかない（ドイツ語ではその普遍的構造を人間性（メンシュハイト）と言う。サルトルは「人間的現実」と呼んだ）。私たちは個人として自律するのではない。むしろ反対に、自分の行動をどの人間にも妥当する普遍的なものとすることで、自律するのだ。

カント哲学に適う意味で自律すると言うなら、人間の行為をつかさどる内在的規範は、絶対に各人固有のものであってはならない。カントの考える自律は、独創性にいかなる余地も認めていないので、結果的にアートについても独創の余地を認めない。カント的な自律をロマン主義的に解釈すると、その概念の重要な特徴を無視することになる。だからこそ、人間存在を構成する自律性と、より個別的でラディカルなアートの自律性とを混同しないよう注意する必要があるのだ。あのシラーでさえ、『人間の美的教育について』のなかで、これと同じ誤りを犯した。それについては、後でアートと権力について論じるときに立ち戻ることにしよう。

人間的な自律性は、人間存在の普遍的構造に備わる特徴である。この構造によって、私たちは無生物や動物といった他の自然的要素から厳密に区別される。またそうであるからこそ、私たちは脳ではないし、自分の生体組織のどんな下位システムでもないのだ[32]。私たち、あなたや私を同じ人間にしているのは、まさにあなたと私を区別することのない何かだ。人間性とは、他の人間と本質的に共有された何かなのだ。人間同士に深い違いはない。なぜなら、私たちには同じ形式が共通に備わっているからだ。つまり、それが人間的な自律性なのである。

人間的な自律性とは逆に、アートの自律性は、作品同士の深くラディカルな差異を際立たせる。あるアート作品の構成(コンポジション)は、別の作品のそれと異なる。どんなアート作品にも共通に備わる内容など存在しない。アート作品はどれもラディカルな個体なのだ。人間の場合、個々人が同じ普遍的形式を共有する。それに対し、アート作品をアート作品たらしめるのは、別のアート作品とは構成的に異なる、という事実なのだ。

32 この点については次を参照。マルクス・ガブリエル『「私」は脳ではない：21世紀のための精神の哲学』（前掲書）。

人間が普遍的道徳法則に従うのは、先に述べた理由からである。言い方を変えれば、どんな人間も互いに何らかの義務を負う、ということだ。最終的にそこには、人間が他の動物や自然に対しても等しく義務を負うことが当然含まれる。私はこの事実を否定しようなどと微塵も考えていない。人間主義（ヒューマニズム）が自然破壊をもたらすなどとんでもない。人間主義や啓蒙主義が環境保護に反するという説は、作り話である。道徳法則は、人間という特別な動物のみならず、すべての動物とそれが生きる環境を尊重せよ、と私たちに命じている。だが、それについてはまた別の機会に論じることにしよう。

さしあたって重要なのは、人間がアート作品ではない、ということだ。アート作品は現生人類（サピエンス・サピエンス）よりもはるかにラディカルで、個別的で、独創的である。アートを人生と合致させようとする試みが、直接であれ間接であれ、必ず悪の肯定に至るのは、そうした理由による。これは、一九世紀末の不健全さの原因のひとつだ。ボードレールの『悪の華』は、明らかにそれをテーマにしていた。人間が自分をアート作品にしようとすると、不道徳になる。なぜなら、アート作品は普遍的なものに逆らうからだ。アート作品は普遍的な法則の支配のもとでは存在しえない。ひとつのアート作品を統御する法則、そしてまた、その作品が成功しているか失敗しているか（美しいか醜いか）を私たちに判定させる法則は、当の個別のアート作品そのものに内在するのだ。美の普遍的な基準はない。アート作品それぞれが、自分で自分に課す基準があるだけだ。

　ここにいたって、私たちはようやく自律性とラディカルな自律性を区別できる。アート作品はラディカルに自律している。アートのラディカルな自律性は、次のことを意味する。つまり、ある作品を個別化する原理（その構成《コンポジション》）は、他の作品を個別化する原理と何ら共通する本質をもたない、ということだ。説明しよう。どのアート作品も、先に私が「意味の場」[33]と呼んだ複数の層を取りまとめている。アート作品とは、さまざまな意味の場の組み合わせなのだ。ある作品においてさまざまな意味の場がつなぎ合わされるそのやり方（つまり、その作品の意味）は、ひとつに構成されており、その作品の内部からしか理解できない。作品は自分で自分に固有の法則を与えるのだ。

アート作品は、他の「意味の場」の結合体（たとえば、「パリ二区」や「マクロン政権」）と区別される。アート作品には、追加のパラメーターがある。つまり、作品が存在するために解釈されねばならない、というパラメーターである。アート作品は本質的に解釈に依存する。パリ二区やマクロン政権が存在するために、私やあなたがそれを解釈してやる必要などない。なる

33 より詳しくは、マルクス・ガブリエル『なぜ世界は存在しないのか』（前掲書）、および *Fields of Sense: A New Realist Ontology*（前掲書）を参照。

ほど、大統領政権と内閣が存在するには、マクロンや閣僚が自分の役目を解釈＝実演することが必要だ。彼らは国を統治しなければならない。だが、その際の解釈＝実演は、マクロンや閣僚をそこに含む、ひとつの独立した構成（コンポジション）に属しているわけではない。どの大統領も、大統領としての役目を果たさねばならない。その役目の解釈は、大統領を演じる人物の行動様式を左右する。だが厳密に言って、その解釈は政府に固有に属するわけではないのだ。というのも、その解釈＝実演は、政治という場で、すなわち、被統治者（人々）の眼から見て、その政府が真っ当だと思われるやり方で、実行されるものだからだ。だが、〔世論の目という〕政府自体のあり方を決めるそうしたパラメーターは、アート作品のパラメーターとは異なる。政府のパラメーターは、アートの領域におけるような、それ固有のラディカルな構成的特異性に従っていないのだ。

ではこう考えてみてはどうか。フランス共和国憲法や他の法律体系は、言ってみれば第五共和政という楽曲（コンポジション）の楽譜であって、ゆえに第五共和政はマクロン大統領と内閣によって演奏（かいしゃく）されたひとつのアート作品である、と。こう考えるなら、マクロン政権自体をアート作品と捉える必要はなくなり、それをより大きな作品の一部に組み入れることで、アートの観念を国家の観念に拡大適用することになる。だがこの議論は以下の理由で間違っている。すなわち、法律はそれ自体、人間的自律性に由来する普遍主義的な要請に従っているのである。どんな実定法も、どこかに道徳的要請に基づいて作られた部分がある。だからこそ、フランス第五共和政は、朝鮮民主主義人民共和国よりも存在論的に優れた法体系に基づくと言えるのだ。法律はアート作品ではない。いかなる国民国家もアート作品でないのと同じように。

それに対して、第五七回ベネチアトリエンナーレのNSK国パビリオン(NSK State Pavilion)は、国家ではなくまさにひとつのアート作品である。NSK(Neue Slowenische Kunst、新スロベニア芸術)というのは、九〇年代から自分たちを国家と称している芸術団体だ。もちろんNSKを国家と認定する人はいないし、NSK国市民が有する権利と義務を定めた法体系などもいっさい整備されていない。NSKは、国民国家からなる世界秩序の社会政治的構成に、何の影響力ももたない。カタルーニャで近年起きた分離独立主義クーデターも、(スペインと欧州連合をはじめとした)関係諸国の認める新しい合法的組織を生み出すことに成功しなかったわけだが、仮にNSK国パビリオンが国民国家創設の試みであるとしたら、カタルーニャのクーデターよりさらにひどい失敗だったということになる。何であれ、国民国家であり、かつアート作品であることはできない。たとえ両者が交差するような領域が存在するとしてもだ。なるほど、デンマークという国は『ハムレット』という戯曲に不可欠な要素であるし、逆もまた然りと言える。だからといって、デンマークがシェイクスピアの書いた戯曲になることはないし、ハムレットがデンマーク市民になることもないのだ。

重要な補足をひとつ。アートのラディカルな自律性は、厳密な意味でのジャンルの可能性を否定している。悲劇や喜劇、リアリズム小説、印象主義絵画に教科書はない。芸術運動が長く続かない理由のひとつはそこにある。どのような芸術宣言（マニフェスト）であれ、一連のアート作品が作られるときに実際起きていることと一致することはありえない。芸術宣言やジャンル、その他の一般的カテゴリー（美術館の説明書きにあるようなもの）は、しばしばアートのラディカルな自律性を覆い隠す傾向にある。実際、そのせいでこう思われがちだ。つまり、アーティストの選択は、何らかの全体的な傾向（スタイル、流派、素材など）によって決められており、だからこそ作品が印象主義とか表現主義、モダニズム、バロック、抽象などと呼ばれるのだ、と。だが、そうした分類は、アートのリアルな力について何も教えてくれない。なぜなら、アートの力はその純粋な特異性に宿るからだ。

実のところ、アートの自律性は人に恐怖を抱かせる。もっともなことだ！本稿の結論で、アートと権力の関係について考察するときに立ち戻ることになるが、アートそれ自体には、人間にとって馬鹿にできない危険性がある。アートに抵抗することもまた必要なのだ。私たちは、拡大するロマン主義的唯美主義に逆戻りしないよう気をつけなければならない。ロマン主義的唯美主義は、人生、政治、倫理といったものが、あたかもアートの存在論によって根本的に支配されているかのように考える。現在そうしたロマン主義的セイレーンの歌声は、デザイン製品の生産に紛れ込んでいる。

この誘惑に、私たちは抵抗しなければならない。

アートとは何か？という疑問に対して、私はこう答えたい。すべてのアート作品がそれだ。ジョセフ・コスースも述べるように[34]、アートを定義するのはアートである。[35]これは無益な同語反復（トートロジー）ではないし、アートの本質を問うことから逃げているのでもない。「アートを定義するのはアートである」という主張の意味は、まさにラディカルな自律性という着想が告げていることにほかならない。つまり、アート作品はラディカルに自律した個体である、ということだ。

この定義は明らかに次のことも含意している。すなわち、ラディカルに自律した個人は、どれもアート作品であるということだ。実際、もしトランプ大統領が（リアリティー番組『アプレンティス』[36]のように）ラディカルに自律的な個人であると判明したなら、それは二〇一八年現在アメリカ合衆

34 （編者注）ジョセフ・コスースは、一九四五年オハイオ州トレド生まれのアメリカ人アーティスト。一九六五年以来、コンセプチュアル・アートのリーダー。

35 Joseph Kosuth, *Art After Philosophy and After. Collected Writings 1966-1990*, MIT Press, Cambridge, 1991.［ジョゼフ・コスース「哲学以後の芸術」、「ジョゼフ・コスース 訪問者と外国人、孤立の時代 1965-1999」展覧会カタログ（水沼啓和訳、千葉市美術館、一九九九年）］

36 〔訳注〕二〇〇四年に始まったアメリカの人気リアリティー番組。トランプが実業家になりたい若者を募集し、選ばれた一六人に次々難題を与えていき、最終的に「弟子（アプレンティス）」をひとり選ぶという内容。

国に本当の意味で大統領職を担う者がいないことを意味する（結局、私たちが目にしたのはまさにそれだったわけだが）。注意してほしい。私は『アプレンティス』がアート作品であると断言したが、決して良いアート作品とは言っていない。アートであれば何でも良いアートになるわけではない。ドナルド・トランプは、建物やグレコローマンレスリングのことに口を挟むという点からして、明らかにアーティストである（おそらく贋作造りのアーティストではあるが）。私の見るところ、彼にはいかなる洗練もない。出来の悪いアーティストである証拠だ。

ここからアートの定義をもう少し掘り下げていこう。それには、哲学用語を少し付け足すことが必要なので、どうか辛抱してほしい。個体とは、同じ場にある別のものから区別されるもののことだ。私はあなたではない。私は今執筆しているこの文章の筆者で、あなたはその読者である。私の左手は私の右手ではない。個体には属性がある（私から見て体の左側にある、とか、読者である、といった属性だ）。二つの個体がすべての属性を共有することはありえない。以上の基礎的な見解は、ドイツの哲学者ゴットフリート・ヴィルヘルム・ライプニッツのおかげで、近代哲学においてよく知られるようになった。ちなみにライプニッツは、ラテン語とフランス語を使って本を書いた。国家社会主義の哲学者マルティン・ハイデガーとは反対に、ライプニッツはドイツ語で哲学はできないと考えたわけだ。もちろん彼は間違っていた。どんな自然言語であろうと、哲学することはできる。だが、今そのことは重要ではない。重要なのは、ある要素が個体であるのは、他の要素が自分にない特性をもつ場合であり、かつその場合に限る、ということだ。

アート作品は個体である。アート作品はすべて互いに異なっている。ただし、アート作品が個体化する上で最も重要な原理は、作品がもつ物理的属性や時空間における属性ではない。だからこそ、拾い物(オブジェ・トゥルヴェ)[37]というアイディアには意味があるのだ。デュシャンの《泉》は、便器を作品にしたものではない。デュシャンは便器をアート作品に変えたわけではない。作品をなすのは、便器を展示するというアイディアである(同様に、そのアイディアを実行する際の複数のディテールも作品をなしている。ディテールのひとつはもちろん、私たちが作品に対して行う解釈である)。作品を個体化するのは、その構成(コンポジション)だ。どの作品の構成も、自分がラディカルに自律的であると伝えている。あるアート作品がなぜアート作品なのか、なぜ他の作品のようではなくこのような作品なのか、その構成がなぜラディカルに自律しているのか、それを説明するのは、その作品の構成なのだ。アート作品を作るための外的マニュアルは存在しない。だからこそ、作品はそれぞれオリジナルなのである。

[37] 〔訳注〕自然物、人工物を問わず、アーティストが自ら制作したのではない既存の対象に美的価値を認めて拾い直したもの。

注意してほしい。どのアート作品の構成にも、意味の場のひとつとして、その作品をめぐる解釈が含まれている。作品の解釈者の一人ひとり、またその全員が歴史的に展開する解釈も、作品の構成に含まれる意味の場だ。その意味で、アート作品の構成が、それ自体完成されることはありえない。アート作品が完成されるのは、私たちがその作品の解釈をやめたときだけだ。あるアート作品に誰かが美的に関わり続ける限り、その作品はいまだ十分に理解されていない。アートの理解が、アートの終わりなのである。

ヴァルター・ベンヤミンは、複製技術時代にアート作品は生き残れないと考えたが[38]、これは重大な誤りだ。ひとつの作品を反復することは原理的に不可能である。なるほど、一九世紀以降、新しい技術によって作品のコピーを技術的に再生産することが可能になり、同時に新しい形のアートが生まれた。シリアル・アートがそれだ。シリアル・アートは、現代技術に

38　ヴァルター・ベンヤミン『複製技術時代の芸術作品』(『ベンヤミン・コレクション1』所収、(浅井健二郎編訳、久保哲司訳、ちくま学芸文庫、一九九五年))。

より対象をシリーズとして複製しようとする。だが、そのことがまさに構成（コンポジション）をめぐる新しいアイディアなのであって、ヴァルター・ベンヤミンが論考でノスタルジックに考えたような、神秘のアウラの破壊など起きてはいない。

ウォーホルのシリーズ作品にせよ、写真にせよ、フェルメールの《デルフトの眺望》に劣らず美的である（ちなみにデルフトの景観は、時代の変化に合わせ、数世紀にわたって整備されてきた。結果、現在ハーグで見られる景色は、フェルメールが存命中に眺め、描いたものとは、まるきり別物になっている）。現代技術は、いかなる点でもアートの本質を脅かさない。

ついでながら、私はフェルメールがウォーホルよりも優れた作品を生み出したことを否定しない。それどころか、私はその点を確信しているし、必要とあれば詳細に論じもしよう。ただし、フェルメールがウォーホルより優れているのは、単に彼が別の時代を生きたからでも、彼がより優れた技術を習得していたからでもない。アートの優劣を決める基準は、しかじかの作品の構成（コンポジション）を細かく調べあげるだけではっきりさせられない。アート作品の質は、その作品の内側から放たれる。どんなカタログを見ようと、どれほど普及した説明体系を使おうと、ある展示品が他の展示品よりアートとして優れていることを演繹的に証明することはできないのだ。

以上の議論は、ただ今試論として提示している私自身の理論にも、等しく当てはまる。ラディカルに自律した個体であることは、アートの質の基準にならない。それは単に、アートの基準であるにすぎない。ある作品やアーティストがほかより優れているかどうかは、その場その場でしか判断できないのだ。

まさにそれこそが、私たちの評価する、アートのオリジナリティなのだ。

たとえ全知の神であろうと、アートの歴史が次にどう展開し、次にどんな作品が名作と呼ばれ、どんな反響が起きるかを予測することはできない。少なくとも、神はアートの何たるかを知ることだけでそれを知ることはできないだろう。仮に神が存在し、あるときこの世界を創造したのだとしても、創造の次の瞬間、神はアートの質について何も断言できなくなる。神に把握できるのは、せいぜいアート作品の概念が、ラディカルに自律的な個体という点にあることだけだ。それだけでは、誰にも何かを予言することはできない。

二〇世紀において、「出来事」の概念は、アンリ・ベルクソンとマルティン・ハイデッガー以降、活発な哲学的議論を引き起こした。その議論は、ラディカルな変革が現実に起きると考えることの難しさに関わるものだ。カント以降、多くの哲学者は、現実が何らかの普遍的法則に従っているにちがいないと考えてきた。はじめ存在しなかった新しい事物が、ある瞬間に存在し始めたとしても、それは必ず普遍的法則に従っており、ほかのすべての事物と同じく、何か実体的なところをもつはずである、と。この考えは現在でも広く浸透している。現実に存在するすべてのものは、時間的・空間的、ないし質量＝エネルギー的なあり方をしており、それゆえ自然の諸法則に支配されている、と多くの人が考えている。よって、どの個体も、他のすべての個体とともに、何かきわめて実体的なもの（たとえば素粒子）を、他のすべての個体と共有しているのだろう、と。

しかし、以上の（根本的に誤った）考えは、アート作品には当てはまらない。アートはつねに出来事の連続として存在してきたからだ。だからこそ、出来事に関する多くの理論家たち（一番の有名どころはハイデガー、一番明快な論者がジル・ドゥルーズ）は、出来事を語るにあたってアート作品に依拠した。

アート作品には出来事の構造がはっきり表れている、と彼らは考えたのだ。アート作品は、純粋に概念的（形而上学的）な説明によっても、経験的な説明によっても、その存在理由を先取られることなく、到来するのだ、と。

しかしここで重要なのは、今しがた述べたことを別の思潮と混同しないことである。その思潮は、テオドール・アドルノの『美の理論』[39]にたいへん明瞭に表れている。アドルノの考えによれば、優れたアートは（キッチュなものや文化産業製品とは反対に）「非同一的なもの」を露わにするという。アドルノの言う「非同一的なもの」とは、概念ではないもののことだ。基本となっている考えは単純である。私たちは分類整理することで現実を理解する。分類整理とは、ある種の述語付けだ。私たちは特定の対象を、何らかのカテゴリーに帰属するものとして認識する。たとえば、エマニュエル・マクロンなら政治家だ。私たちはエマニュエル・マクロンを政治家と

39 テオドール・アドルノ『美の理論』（新装版、大久保健治訳、河出書房新社、二〇一九年）。

して捉えることで分類整理する。政治家である、というのはひとつの概念だ。このように、政治家という属性を共有する限りにおいて、マクロンはほかのいろいろな人物と一括りにできるわけだ。

ところが、対象なら何でも概念になるわけではない。一度きりしかない出来事や対象は、分類整理のシステムに取り込まれない。そこから、次のような哲学的パラドクスが生まれる。つまり、決して概念にならない対象を、「概念的ではないという特徴を共通にもつ」ことを意味する概念で取りまとめる、というパラドクスだ。このパラドクスを避けるには、別の仕方で考える必要がある。つまり、一回的な出来事や対象に対しては、直接カテゴライズすることなく関係しなければならないのだ。アドルノが理論的主著の『否定弁証法』で扱った問題は、これだった。さらにアドルノは、『美の理論』のなかで次のように述べることで、概念的なものと概念ではないものの関係をめぐり、議論への決定的な貢献を行なった。曰く、アートの力は作品の存在論に宿る。偉大なアートは、絶対に特異であり、あらゆる概念的カテゴリー化を拒む、ということだ。

要するにアドルノはこう考えたのだ。アート作品は、私たちが現実との関係（人間的な認識と知覚）において、それ自体少しも概念的ではない何かと接触していることを証明する、と。だとすれば翻って、現実には出来事の形式があることになり、そしてアートは鑑賞者に対して、というよりアドルノのような芸術理論家に対して、出来事を反省的にアクセス可能なものにする力がある、ということにもなるわけだ。

ところが、アート作品の内容は（たとえ成功した作品であろうと）、まさしくある種の概念的形式を有する何かである。すでに述べたように、アート作品は、その作品の個別的な構成（コンポジション）によって定義される。アート作品は、さまざまな意味の場を結び合わせる。ところで、意味の場を結び合わせることは、まさしく概念が一般的に行うことなのだ。概念とは、意味の場の組み合わせだからである。それゆえ、アート作品をラディカルに特異な概念とみなすことができる。つまり、その概念下には、その概念によって具体化されたアート作品というただひとつの対象しか該当しない、そのような概念として、アート作品はどれも、他のアート作品を排除するのだ。

概念は現実における真の構造物である。しかし、そうした概念の次元は、「言語論的転回」(Linguistic Turn)と呼ばれるものの後遺症によって、今日では分かりにくくなっている。言語論的転回のアプローチにしたがえば、概念は概念は一般に言語的なものということになる。つまり、概念は人間が言語と人間が言語として使用するものに限られる、と考えられているのだ。だがこの議論はさまざまな水準で間違っている。

第一に、他の動物が概念をもつ可能性を除外している。それは誤りだ。他の動物が自分の環境をカテゴリーによって分類しないことなどどうしてあるだろうか。ライオンは明らかに獲物と障害物の違いを分別する。つまり、ライオンは獲物という概念を使うのだ。だからといって、ライオンが自分に概念が備わることを自覚しているわけではない。それはまったく別の問題だ。概念を表明する言葉をもたなくても、概念をもつことは可能なのだ。

第二に、言語論的アプローチは、人間の思考を、言葉による表現とあまりにも同一視しすぎる。おかげで、赤ん坊にも概念があることさえ考えられなくなるほどだ！ライオンが概念をもたないなら、新生児も同じ、というわけだ。この点に関して、言語学者のノーム・チョムスキーは、人間の脳の特定の部位に生得的な言語構造が備わる、というナンセンスを想定した。実際に、中国語やロシア語が印字された回路を脳のなかに見つけた人はいない。言語論的転回やチョムスキーの生成文法によって多くの哲学的誤解が生じているが、今それを詳しく論駁しようとしたら話が脱線してしまう。ここでは、次のことを踏まえておくだけでいい。つまり、一般的に、概念は言語としてエンコードされているわけではない、ということだ。そうでないとしたら、私たちはあらかじめ言葉が当てはまること以外は何も細かく思考できない、ということになってしまう。

アート作品は概念的であり、まさに概念としてある。アート作品は新しい概念を実際に創造する。これは、ドゥルーズによる概念の理解の中心にある考え方だ。[40] ドゥルーズはこう考えた。現実が私たち抜きで概念を作り出すことはないのだから、概念を創造するのは私たちである。それゆえ、哲学とアートにはつながる部分がある、と。ところが、アート作品がさま

40　ジル・ドゥルーズ『意味の論理学』(小泉義之訳、河出書房新社、二〇〇七年、上下巻)。

ざまな意味の場をまとめるとき、そうした意味の場のすべてがドゥルーズ的な意味で完全に概念的であるわけではない。ハサミはハサミであり、ハサミの概念はハサミの概念である。ゆえにハサミはハサミの概念と区別される。だからといって、私たちにハサミのことが考えられないことはないし、ハサミが私たちの概念的把握の外にあることにもならない。

最近の哲学では、新しい種類の実在論が提起されている。その実在論はこう主張する。つまり、概念のなかには、それ自体は概念でできていないような、現実に結びつく概念がある、と。たとえば、知覚するとき、私は概念を使う。意識的な注意に照らして、対象を選り分けるような場合だ。私は自分のコーヒーをじっくり味わい、いつもより美味しくないと判断する。そこで前提となるのは、私が「コーヒーは美味しいときもあれば、美味しくないときもある」というコーヒー概念を用いていることだ。同じように、私は自分のメガネについての概念も抱いているので、たった今、概念に関する基礎的な前提をざっと説明しようとするこの段落で、何か例として役立つ対象を探したときに、メガネをそれとして認識することができた。この新しい実在論の目的は、以下の事実を私たちに思い出させることにある。つまり、概念に依拠することで認識可能なもののすべてが、それ自体ひとつの概念であるとはかぎらない、ということだ。概念は対象をひとつにまとめる。だが概念によってひとつにまとめられたものが、それ自体ひとつの概念であるとはかぎらないのだ。

この意味で、作品（コンポジション）もまた概念である。アート作品は、さまざまな意味の場を結びつける概念なのだ。その意味の場には、感覚器官を通じて知覚される場も、その都度含まれるにちがいない。だからといって、感覚器官を通じて知覚されるアート作品の様相を、作品それ自体と決して混同すべきではない。要するに、どんな作品であれ、単に視覚的であることもなければ、単に聴覚的であることもないということだ。私たちがアートに接するとき目にするもの、耳にするものは、アート作品ではなく、ある作品を成り立たせている意味の場や対象の一部なのである。

感覚能力なしにアートは存在しない。アート作品は、私たちが知覚するよりほかない諸現実に基づく。アート作品はさまざまな対象を結集させる。だが、アート作品はそうした対象によって構成されているわけではない。反対に、アート作品こそが対象を構成しているのだ。

ところが、ラディカルに自律するアート作品の性質は、〔感覚能力が捉える〕対象をより広い意味での対象に変化させる。私が「新しい実在論」に貢献したのはまさにこの点で、それは現実が物理的な対象や自然科学に帰属する対象だけで作られているわけではないことを示すものだった。すべての対象が、自然科学で研究される因果性の原理に支配されているわけではない。思考や記憶、未来、フランス、道徳的価値、ジェド・マルタン（ミシェル・ウェルベックの小説『地図と領土』に登場する画家）、数字などのように、対象のなかにはどこであれ「そこ」にあると言えないものがある。そうした対象は、質量＝エネルギー的な宇宙のキャンバスに織り込まれていない。そうでありながら、物理世界と興味深い形で重なり合っている。だからといって、そうした対象の存在を、物理世界のなんらかの対象の存在に還元するという誤りを犯してはならない。

以上のことは、アート作品にも等しく当てはまる。アート作品は一様ではないし、それを構成するさまざまな層に還元することもできない。たとえその作品を成すアイディア、構成（コンポジション）が、単なる拾い物（オブジェ・トゥルヴェ）にしかなく、物理的に存在するだけの作品があったとしても、それを作品にするというアイディア自体は、やはり物理的なものではないだろう。

　アート作品は何にも還元できない現実だ。それは結局のところ、アート作品がラディカルな自律性をもつことから生まれる特性である。実際に、物理的なものはいずれも規則性によって特徴づけることができる。物理的なものの規則性は、ほとんどルールというべき価値をもっている。物理世界にある諸対象は実在のパターンを表しているが、そのパターンは私たちが作り出したものではない。[41] ひょっとすると、物理的対象とは実在のパターン、複製可能な構造なのだ、と言うべきなのかもしれない。だが、この議論は私たちを再び科学哲学、自然哲学の方へ連れ戻してしまう。

　ここで重要なのは、物理世界の対象についてなら、私たちはそれを解釈することなしに研究できる、という点だ。私たちが自然という書物をどう解釈しようが、それによってボース粒子を構成することはない。[42] 書物は著

41 このコンセプトに関しては、以下を参照。Daniel Dennett, "Real Patterns", *Journal of Philosophy*, vol. 88, n°1, 1991, pp. 27-51.

42 （編者注）量子力学において、ボース粒子は整数量子数のスピン角運動量を持つ素粒子。フェルミ粒子（レプトンとクォーク）が物質を構成するのに対して、ボース粒子は力を媒介し、物質を結合する「のり」の役を果たす。

者が生み出す人工物だが、自然はそのような意味で書物ではない。自然は人工物ではない。誰かが生み出したものではないのだ。ボース粒子は、その動きも含め、人間の活動から完全に独立している(ただし私たちが因果的に宇宙に介入するなら話は別だ。たとえば、高エネルギー実験装置の内部で宇宙に内在する構造に干渉する場合であるとか)。

なるほど、自然科学の存在論にも、さまざまな認識論上の問題がある。だからといって、物理世界は私たちの解釈次第で存在したりしなかったりする要素だけでできている、などと考えるとしたらそれは狂気の沙汰だろう! そうなったら、われわれは文字通りミニチュアの神になってしまう。

明らかに、宇宙の大多数の出来事や構造、対象は、私たちの能力が生み出したものではない(われわれ人間存在が、地球とその環境にある程度物理的インパクトを有するとしてもだ)。人間の能力が生み出した銀河などひとつとして存在しない。そんなことはないと言う人がいたら、その人に哲学は無用だ。彼に必要なのはむしろ、誰であれ自然を作り出すことなどできないということを分からせてくれる、良い精神科医だろう。神にも、神々の集団にも、いわんや人間に、そんなことはできない。仮に神ないし神々がいるとしても、神が現実を創造したということと、宇宙の因果性とを混同してはならない。神は大工がテーブルを造ったり、私がこの試論を書いたりするようなやり方で宇宙を創ったのではない。神が宇宙を創造したとして、それがどのような行為であるかを説明できるのは、形而上学的な文脈の説明や思考だけであって、それはこの論考の限界を超えている（というより、それはいずれにしても人間に考えうることの限界を超えているだろう。ほとんどの神学が伝統的に何千年もかけてそう主張してきたように）。

アート作品は自然のものではない。それは、自然にあらかじめ備わった現実の構造ではないのだ。アート作品がその構成（コンポジション）から生み出す構造は、物理世界に見出されるものではない。その構造は、感覚器官を通じて知覚したり、自然科学のプリズムを通して研究したりできるものではない。アート作品は解釈されねばならない、つまり、上演（パフォーム）されなければならないのだ。アート作品がその姿を露わにし、理論的な分析を受け入れるようになるのは、その上演（パフォーマンス）においてだけだ。大学では、さまざまな観点や専門性に立って、アート作品を理論的に分析する。それは、私たちの脳や精神において作品がどう上演されたかを、メタレベルで調査することだ。プルーストの小説『失われた時を求めて』を分析するのに、小説の具体的な場面を想像しないわけにはいかない。私たちはまず『失われた時を求めて』の現実に入り込まねばならない。それからようやく、その構成（コンポジション）や言葉遣い、作品のなかで交差する参照、その生産と受容の歴史などを分析することができるのだ。そうした分析によって、自然法則が発見されたり、宇宙の構造が見つかったりすることはない。代わりに私たちは、そこで何にも還元できない諸観念の実在（リアリティ）に触れるのだ。

アート作品の還元不可能性は、作品がひとつの出来事としてラディカルに自律していることからくる特徴である。ジャズベーシストのスコット・コリーのナンバーには、こんな素敵なタイトルがある。*Is What It Is*（それはそういうもの）。

アート作品同士は、何ひとつ共通する実態を持たない。二つの異なる作品に共通する構成（コンポジション）は存在しない。メタ作品、構成（コンポジション）をめぐる構成（コンポジション）というのはありえるが、それもどこかでストップしなければならない。まさにそこで、私たちは作品の還元不可能で、絶対に特異な構成（コンポジション）と出会うのだ。

アートと（権）力

アートのラディカルな自律性は、人間の生を袋小路に引き込む。その袋小路は、アートの力を表明している。この問題について、ドイツの哲学者アンドレア・カーンが見事な見解を示している。[43] どのアート作品にもラディカルな自律性があるということは、作品に対するどのような知覚も、どのような関わりも、その作品の一部だということを意味する。アート作品を知覚するには、解釈せねばならない。言い方を変えれば、作品を上演する必要がある。交響曲を聴くことは交響曲の一部であり、ピカソの彫刻を眺めることは彫刻の一部であり、パリ一六区の高級レストラン「ル・プレ・カトラン」の料理を味わうことはその料理の一部なのだ。このように、私たちの経験は、作品の構成（コンポジション）について考えるという経験も含めて、アート作

43 以下を参照。Andrea Kern, « Die Welt der Kunst. Diderots Konzeption ästhetischer Selbstvergessenheit », in R. Langthaler, M. Hofer (Hrsg.), *Transzendentalphilosophie : Möglichleiten und Grenzen*, Weiner Jahrbuch für Philosophie,Band XLIV, 2012.

品が自分で自分をを構成することに加担しているのだ。われわれの経験が作品の自己構成に参加するそうしたやり方のことを、一般に美的経験と呼ぶ。美的経験の問題は、私たちをそっくり作品に吸い込んでしまうことだ。作品の一部となるとき、私たちはそこから逃れられなくなる。人間には、自由に作品に入り込んだり出て行ったりする自律的能力がないのである。

なるほど、オペラのチケットを買いながら、上演の途中で席を立つことはできる。だが、それではオペラに作品として入り込んだことにはならない。私たちは誰でも次のような経験がある。つまり、どういう形であれアート作品を前にしていると知りながら、その作品を理解できない、という経験だ。作品へのアクセスが見つからず、その美しさが理解できないのだ。私たちが作品に引き込まれるかどうかは、私たちではなく、作品自体に帰属する権力である。作品に対してどれほど備えをしようと、それだけでこの権力をもつことはできない。どれほどアートの歴史を学ぼうと、特定の作品に対する準備にはならない。確かに知的教育は理論的分析には役立つ。理論的分析ができれば、美的経験について考証することもできるだろう。だが、美的経験は予備知識や訓練なしに生じることがある。

というより、美的経験は突然生じるか、生じないかなのだ。生じるとしても、それは作品のうちで生じる運動である。言い方を変えれば、そこに鑑賞者はいないのだ。

分かりやすい例で説明しよう。私は今映画館で映画を見ているとする。ヒッチコックの『サイコ』にしよう。シャワー中にマリオン・クレインが刺し殺されるとき、私は彼女に文字通りの意味で警告を発しようとは思わない。私の現実はスクリーンによって彼女の現実から隔てられているし、逆もまた然りだと知っているからだ。クレインと私は同じ意味の場に生きていない。ところが、私は映画の場面を見ながら何かを強く感じる。私の美的経験を通じて、私は映画の意味の場におびき寄せられる。ただし、ノーマン・ベイツ（『サイコ』の主人公である殺人鬼）からは私を観察できないようなやり方によってだ。[44] 私が作品の自己構成に参加する限り、作品は私の精神を舞台に上映される。私の精神は、アートの自己顕示に変わるのだ。

この構造において、作品を外から眺める鑑賞者という意味では、いかなる主観性の余地も残されてない。二つの人気映画作品、『エイリアン』と『スター・ウォーズ』はこのことを上手に例証している。構成（コンポジション）というレベルで考えれば、『エイリアン』が物語るのは、人間の生体組織を宿主に生まれてくる地球外生物の話ではない。そうしたことは、構成（コンポジション）ではなく、内容（プロット）の一部だ。構成（コンポジション）のレベルで見るとき、『エイリアン』はむしろ次の事実を語っている。すなわち、映画それ自体が、自己創出のための宿主として、私た

44 この状況によって引き起こされるさまざまなパラドクスに関しては、以下を参照。George M. Wilson, *Seeing Fictions in Film. The Epistemology of Movies*, Oxford, 2011.

ち人間存在を使っているということだ。『エイリアン』と呼ばれる作品の自己顕示という出来事のために、私たちが生態組織として宿主にされるのである。

映画館では、光（レーザー）のスペクタクルが、ひとつのアート作品にかわる。それは、観衆がまさにスクリーンのように使われているからだ。映画は私たちの精神をスクリーンにして投影される。私たちが素朴に考えるのとは異なり、映画は映画館のスクリーンに投影されるのではない。映画館のスクリーンに投影されるのは、情報を運ぶ光にすぎない。その情報を映画であると解釈するのは、観客である。観客が光を、筋立てや物語などの形でさまざまな対象が統一されたひとつの映画として映しているのだ。つまり私たちは、生きるためにわれわれの精神を必要とする映画『エイリアン』の宿主なのである。ただスクリーンを見るだけで、私たちは映画を解釈する。そうして私たちは、スクリーン上に見るエイリアンを生み出すのだ。映画は演劇とは異なる。演劇の場合、見えない第四の壁が、舞台上で起きる出来事から観衆を遠ざけている。[45] 映画の場合、私たちは逆に、映画という経験そのものに引き込まれる。この観点で、クリストファー・ノーランの『インセプション』（発端、植え付け）のような映画を見直してみるといい。まさに映画がそれ自体……植え付けだということが分かるだろう！[46]

誰も不思議に思わないが、『スター・ウォーズ』にはライトセイバーが登場する。SF映画にはなぜか、光（レーザー）で人が殺せるというアイディアに則った武器が実によく出てくる。『スター・ウォーズ』を観る体験は、次第に純粋なスペクタクルの体験、光の見せ物（レーザー・ショー）の体験に近づいていく。だからこそ、『ローグ・ワン／スター・ウォーズ・ストーリー』は、SFと

45 （編者注）「第四の壁を破る」という表現は、舞台俳優が観衆に向かって直接語りかける場合や、映画で俳優がカメラに向かって語りかけることを言う。

46 （編者注）クリストファー・ノーランの映画では、主人公たちの脳内から情報を抽出したり、そこに考えを植え付けたりする。

いうより、叙事物語（サーガ）の構成（コンポジション）を示すのだ。この映画を観るということは、高速のレーザー・ショーを爆撃のように浴びせられるということだ。というより、この映画はまさに私たちの感性に対する実際の攻撃である。その攻撃は次の事実を明かしている。すなわち、映画館のスクリーンが私たちの現実に入りこみ、占領してしまう、という事実だ。私たちは、アート作品によって生み出された出来事の当事者になる。物語のプロットという幻想（イリュージョン）を追いかけているうちに、アート作品に捕らえられてしまうのだ。

　ハリウッドがもつ力の一端はここにある。ハリウッドはジャンルやプロットから生まれる幻想に依拠している。だからこそ、成功作の多くは叙事物語（サーガ）やシリーズ作の形を取る。それゆえ、ハリウッドは物語のビジネスだという幻想が生まれるが、実際にスタジオで扱われているのは、美的経験の力である。『サイコ』のようなハリウッド映画は、どんなアート作品にも劣らずラディカルだ。リメイク作品であろうと、決して単なる焼き直しではない。それはやはり別のアート作品であり、アートの力を等しく証明している。

このことから、美的経験のパラドクスという問題が生じてくる。すなわち、私がアートを体験するとき、私は存在することをやめる、というパラドクスだ。というのも、私は自律的行為主体であるのに、その自律性がアート作品の自律性によって脅かされるからである。私が今そうであるような自分でいられるのは、ある種の規則に従っているからであり、その規則は、結局のところ、人間存在の構造に即したものだ。その普遍的構造は、カントが「定言命法」と呼ぶ、道徳法則の形をしている。だからこそ、人間存在には尊厳がある。人間の尊厳は、私たちが根本的に同等であるという事実に由来する。私たちの自律性は普遍的構造との関係において与えられており、その点で、私たちはみな等しく尊厳をもつのだ。ところが、美的経験のなかでは、私たちは身動きが取れなくなる。私たちはそこで、ラディカルな自律性を備えたさまざまなプロセスと力に服しており、そのプロセスと力の成り立ちについては何の口出しもできない。解釈とは、私たち自らが行う自由な行為でもなければ、自律した行為でもないのだ！アート作品は、至高に自由であり、強力である。その力は、異質な力であって、いかなる意味でも人間主体の統制下にはない。

そこから分かるのは、私たちは自分で美的経験をもつかどうかを決められない、ということだ。映画館のチケットを買おうが、リスボンの地中海料理レストラン、ビッカ・ド・サパートでテーブル席を予約しようが、美的経験を感じないことはあるだろう。映画を美しいと思えないこと、給仕された料理が気に入らないことはある。美的経験は、突然起こり、人間の生を占領する。ウイルスや、映画『エイリアン』に出てくるエイリアンたちと同じだ。リドリー・スコットの映画『プロメテウス』や『エイリアン：コヴェナント』では、人間が異星人の意図によって作られた存在だということになっている。しかし、まさに上に述べた理由によって、これらの映画は単にプロットのレベルだけではなく、構成（コンポジション）のレベルでも、人間存在がアート作品の生んだ創造物であると告げている。私たちの自律性は、アートから借り受けたものなのだ。

このように、人間の自律性に関しては二つの説が拮抗している。第一の説は、ヨハン・ゴットリープ・フィヒテの説だが、これはカントの自律性の概念を発展しようと試みたものだ。第二の説、美的経験のパラドクス説は、フィヒテを批判したフリードリヒ・シェリングや他のドイツロマン派の哲学者たち（最も有名なのはF・シュレーゲル）によって提案された。

第一の説によれば、人間存在は道徳法則に従うことで、歴史のある時点で成立したのだという。というより、フィヒテによれば、人間は道徳法則に従うまで人間ではなかったのである。私たちの人間性は、道徳への服従を経験するときにはじまる。だからこそ一神教は啓示があったと教えるのであり、預言者が道徳的要請の形で神の意志を伝えたと主張するのだ。フィヒテはそう論じているが、それはフィヒテが神を信じていたからではない。むしろ神と道徳法則を同一視したことで、フィヒテは存命中、無神論者として糾弾された。

第二のモデルをロマン主義的理想と呼ぼう。このモデルによれば、私たちの自律性を生み出すのはアート作品である。私たちはイメージによって作られた。神に似せてではなく、さまざまなイメージに似せて作られたのだ。実際に、人類史をアート作品のプリズムを通して考察することは、少しも馬鹿げたことではない。私たちが意識的、能動的な思考者として存在しはじめるのは、象徴的な次元で人間的な活動と人間的でない活動とを区別しだしたときだからだ。

ロマン主義的理想によれば、アート作品はそのつど、自律したさまざまな啓示として現れる。最初の洞窟壁画や、最初に美的な観点から考案された武器は、人間の生にラディカルな美的自律性の構造を貸し与える。このモデルにしたがうなら、人間的な自律性は、アートがもつ得体の知れない力に奉仕していると言える。アートが自身のイメージに似せて私たちを生み出したのだ。

「アートの陰謀」という極端な考え方があるが、[47] これは次の理由によってまったく正当な考えだ。アート作品は、ただそのように存在するという以外に何の理由もなく存在する。存在するやいなや、アート作品は解釈さ

47 ジャン・ボードリヤール『芸術の陰謀　消費社会と現代アート』(塚原史訳、NTT出版、二〇一一年)。

れる。解釈することで、人間存在は入り口も出口も見えないままアート作品のなかへ引き込まれる。このプロセスが開始されて以来、われわれ人間は、美的経験から美的経験へと渡り歩いてきた。親から言葉を教わるときには、子供向けの本に描かれた象徴的場面の助けを借りる。私たちはいろいろな物語を聞いて育つ。家庭で、教会で、寺院で、モスクで、シナゴーグで、テレビで、学校で。私たちは建築物に取り囲まれ、音楽を聴き、デザインされた製品を使う。私たちは、アート作品の果てしないネットワークに埋もれている。

だからといって、人間をそうしたネットワークの結び目のひとつに還元するのは間違いだろう。人間存在をネットワークの観点から捉える存在論は、今日ブルーノ・ラトゥールのアクターネットワーク理論などによって擁護されているが、これはポスト構造主義のとんでもない誇張にすぎない。[48] 人間は誰しも、複数の意味の場に包まれて存在する。たとえば、私たちに備わる人体は、多様な下位システムを同時に維持している（そこには、私たちの身体に住むバクテリアなどの生命形態も含まれる）。私たちはいくつかの感覚域を備えた、意識をもつ動物だ。私たちは自分のことを意識しており、自分を意識的な存在として思い描くことができる。私たちはまたフロイト的な自我でもある、などなど。多様な意味の場に現れた複数の自分の姿を統一できるという点で、私たちは皆等しく自律的な行為主体である。この統一は道徳的評価に服している。

だがアートは、それ自体として自分を越えるいかなる評価にも服していない。そのことは、私たちの自律性が、アートにさらされることで促進されることがあるということを意味している。私たちが、アートの自律性を反映するのだ。しかしながら、人間たちが生きる共同体は、道徳的、法的、

48
だからこそ、ブルーノ・ラトゥールは彼の存在論において、ネットワークそれ自体の存在様式を特権的なものとして扱う。以下を参照。Bruno Latour, *Enquête sur les modes d'existence : Une anthropologie des Modernes*, Paris, La Découverte, 2012.

そして一般には政治的に統一された共同体だ。その統一形態は、アートの形式によるものではない。

アートは無道徳的であり、**無法的であり**、**無政治的である**。**したがって**、**アートの力は絶対権力なのだ**。

同じ理由によって、アートは無宗教的でもある。だから、一神教において、神がアートの出現に対して絶対的な闘争関係にあると言われるのは偶然ではない。アート作品はそれぞれが絶対者なので、神が自らを唯一の絶対者と主張することに抗議するのだ。

かつて哲学者たちは、絶対者はただひとりしかありえないと信じていた。それについて、スピノザは主著『エチカ』で見事に次のように論証した。曰く、絶対者とは、その存在が何にも由来しないもののことである。絶対者には、自分を創設する何かとの外的な関係がない。仮にもうひとり別の絶対者が存在するとしたら、ふたりの絶対者の間には、新たな関係が打ち立てられるかもしれない。するとその関係は、相互に基礎付け合う可能性を開いてしまう。絶対者同士のそうした関係が絶対者たちを定義する、というのも同じく論外であろう、云々。

　こうした議論の全体の大枠に対して、ライプニッツは正当にも反論した。ライプニッツはこう主張したのである。すなわち、それぞれがラディカルに自律し、互いに完全に孤立した複数の（モナドと呼ばれる）絶対者が存在することは十分に可能だ、と。

　とはいえ、私が別の本で詳細に論じた意味の場の存在論を使えば、絶対者に関するこうした古典的なアプローチを踏襲する必要はなくなる。[49] アート作品は、それがラディカルに自律して存在する以上、それぞれ絶対者となりえるのだ。アート作品は自余のすべてから孤立している。アート作品

49 マルクス・ガブリエル『なぜ世界は存在しないのか』（前掲書）と *Fields of Sense: A New Realist Ontology*（前掲書）を参照。

はわれわれ人間存在を自分のうちに引き込む。だがひとたび私たちを手中に収めると、今度は理由もなく解放する。アート作品は言ってみれば存在論的なブラックホールとして作用する。非常に大きな質量をもって自律しているため、それに接近すると自分が消えてしまうのだ。そしてその後（これは物理的ブラックホールには起きないことだが）人ははっきりした理由もなくそこから放出され、自分の姿がすっかり変容していることに気づくことになる。美的経験がもたらす変容は、誰かの作為によるものではない。どんなアーティストも、作品を解釈したあと、その人がどうなってしまうかを予想することはできない。

だからこそ、アート以外の意味の場に関わる実に多くの人が、アートの力を恐れている。宗教、哲学、科学、政治は、アートに激しく苛立つものだ。そこでは、しばしばアートとの戦いが企てられる。だが、アートと実際に戦う方法などない。アートそれ自体は、他の意味の場から手の届かないところにある。それはまさしく絶対者なのだ。

すべてのアート作品が絶対者である。作品はそれぞれ固有の法則をもつ。とはいえ、作品には何らかの解釈が必要だ。最初になされる解釈は、つねにではないが、たいていはアーティスト自身の解釈ということになる。フローベールが小説『ボヴァリー夫人』を構想したとき、この作品は彼の解釈のなかで生きはじめた（エマが生きはじめたわけではない。彼女は作品ではなく登場人物だ）。アート作品は自分を現実化するために、芸術家の精神を虜にする。この働きがなければ、作品が存在しはじめることはないだろう。何か作品の外にあるものが、作品の生命を始動させるということはない。アート作品がどんな理由もなく生きはじめるというのは、その意味においてである。アート作品はそこに在る、ただそれだけなのだ。

ロマン主義の哲学者フリードリヒ・シェリングは、『人間的自由の本質』のきわめて象徴的な注目すべき一節のなかで、この構造について論じている。そこでは、神の顕現（テオファニー）のビジョン、神がどうして突然人間存在を思い描いたかというビジョンを通して、アートの力のことが考察されている。

ところで神が姿を現すのは、神に似たもの、つまり、自ら行動する自由な存在においてのみである。自由な存在が存在する理由は神よりほかになく、その存在は神が存在するように存在している。神が言葉を発すると、ただちに彼らは存在する。たとえこの世に存在するすべてが、神によって抱かれた思念にすぎないとしても、存在はただ神に思い抱かれただけで、すでにそれとして十分に存在しはじめるにちがいない。このように、思考は魂から生まれるが、生み出された思考は独立した力となり、積極的に固有の営みを行う。人間の魂において、思考は大いに成長しているから、自分を産んだ母の言うことを聞かなくなり、ついには母を従わせもする。とはいえ、人間の想像力はただ被造物に観念的な実在を与えるにすぎず、この世界の諸々の存在を特殊具体化する原因となった神の想像力とは似ても似つかない。ただ独立した存在者のみが、神を表現できるのだろう。われわれが心に描く表象に限界があるのは、まさしくわれわれが非独立的なものを見ているからでなくてなんであろうか。神には物自体が直観できる。自体的に存在するのは、ただ永遠なるもの、すなわち、それ自身に基づくもの、意志、自由のみだ。派生的に生まれた絶対者ないし神性という概念に大した矛盾はない。それはむしろ、哲学全体の中心をなす概念であるほどだ。まさにそうした神的性格が、自然には与えられている。神に内在することと、自由であることはまったく矛盾しない。自由なものは、まさにそれが自由である限りにおいて、神のうちに住まうのである。したがって不自由なものは、それが自由を欠く以上、必然的に神の外にしか存在できないのだ。[50]

シェリングはロマン主義者だったので、創造(何らかの存在のはじまり)をアートの存在論と同一視する。シェリングにとって、存在するものはみな究極的にアート作品である。残念ながら、この魅力的な意見は、アート固有の真実を誇張して一般化したものだ。とはいえ、シェリングが神の思考とわれわれの思考の関係について述べたことは注目に値する。それはまさしく、アートの力の構造を表現している。

何か新しいことを考えることは、私たちの意識的な生に絶え間なく生じることだ。そうしたとき、思考は私たちの意識を乗っ取っている。私は今この文章を自分が書いていると思っている。ところが実態は、まるで私がこの文を書くにつれ、文章が私の精神を媒介(メディア)にして、自ずと完成されてい

50 シェリング『人間的自由の本質』(西谷啓治訳、岩波文庫、一九七五年、三九-四〇頁に該当)。訳文は、底本のフランス語に沿って、訳者が訳した。

くかのようなのだ。思考の方が私たちのところにやってくる。私たちの方から思考に先回りして、思考を生み出すことはできない。そんなことができるとすれば、私たちは何かを考えるとき、自分が作り出したいと望む思考に関する別の思考を明瞭に意識していなければならないが、そちらの思考はやはり私が作ったものではないだろう。別様に言えば、私たちが自分の思考を支配するのは、自分が現に考えている思考を介してでしかない、ということだ。私たちは思考されるべき思考を選り分けることで、自分の精神生活をコントロールしている。つまり、すでにある思考についてその通りだとか、間違っていると受け取ることで、精神生活を維持しているのだ。ところが、思考を選り分けるという活動それ自体すら、完全に自分のコントロール下にあるわけではない。人間の思考は別の絶対者だ。つまり、それ自身の法則（論理や知性の法則）にしか従わない何かなのだ。

とはいえ、思考とアート作品はやはり異なる。アート作品は論理の法則に従っていないからだ。アート作品には多くの矛盾があってもかまわない。矛盾があるからといって、作品としてその存在が傷つけられることはない。ある思想家がナンセンス詩の詩人のように脈絡のないことを言ったなら、彼はもはや思想家と言えない。道徳法則をいかなる形でも尊重しない人がいたら、その人は悪人というより、単に道徳的要請を知らない人だろう。根源悪でさえ、善の観念を使って善を覆すのだ。

アートは無論理的である。アートの構成(コンポジション)は、ある議論の論証内容が無矛盾律や同一律といった論理学の普遍原理によって構造化されるようなやり方では構造化されていない。論理的に思考しようとするなら、私は自分の言葉が安定した参照先をもつことを確認しなければならない。私がエマニュエル・マクロンについて考えるとき、「エマニュエル」は大統領の名前であって、エマニュエル・カント（フランス語読み）の名前であるとは考えられていない。同様に、その場合の「エマニュエル・マクロン」はフランス大統領を指していて、同姓同名の他の人物を参照しているのではない。マクロンについて考えるとき、私は最初から最後までマクロンの意味を変えることができない。そうでなければ、マクロンについて考えたことにはならない。通常のコミュニケーションや理解は、意味論的な論理や規則に従う。だがそうした意味論の原則は、アート作品に必要ないのである。

アート作品の無論理性は、作品のラディカルな自律性がもたらす特徴のひとつである。アート作品は個体であって、その存在はどんな普遍的構造とも結びつくところがない。

本論のはじめに述べたように、アートはどこにでもある。それは私たちの生存に影響を及ぼす絶対者だ。私たちの美的経験は、私たちの論理と、私たちの道徳的義務に反する逆説である。ある強力な作用因子（ファクター）が、私たちの生活に、そのラディカルな姿を現している。人間のコントロールを完全に超えたまま。その作用因子（ファクター）こそ、アートそれ自体なのだ。アートそれ自体は、鑑賞者の視線のうちに存在するのではない。私たちがアート作品を生み出すのではない。アート作品こそが、自分を存在させるために、私たちを参加者として創造するのだ。アート作品は前触れなくやってくる。アート作品は、それ自身以外の確たる理由もなく、ただそこに在る。私たちにはそれに抗うことも、それを厄介払いすることもできない。

アート作品は最高度に強力な存在物である。作品に近づくために大切なことは、アートの正しい存在論を準備しておくこと、アートそれ自体が何であるかを知っておくことだ。つまり、いかなる実体的な要因にも従わず、ラディカルに自律する、そのような個体によって住み着かれた意味の場が存在すると知ることなのだ。この構造を形式的に知ったところで、アートを評価できるようになるわけではない。単に、アート作品が存在するとはどういうことかを定義できるようになるだけだ。すべてのアートが優れたアートであるわけではないし、またすべてのアートが私たちとの出会いにおいてアートとして認識されうるわけでもない。アートは身を隠す場合もあるし、私たちの意識のレーダーにその権力を行使する場合もある。だからこそ、アートは同時に危険でもある。

私は本論で、アートのラディカルな自律性を擁護した。私の考えでは、アートの自律性はカントやシラーから受け継がれたアートの古典的概念を超えている。カントたちは、アートが道徳に似ており、人間がより良い存在になることに寄与しうると考えた。そうかもしれないし、そうでないかもしれない。いずれにせよ、アートの本性それ自体には、われわれを向上させることも、破壊することも予定されていない。アートにとって、それはどうでもいいことである。

次の注意を繰り返して、本稿を終えよう。アートを存在一般と混同してはならない。存在するものは、ほとんどの場合アート作品ではない。ボース粒子や人間存在は、宇宙がそうでないのと同じく、アート作品ではない。存在するすべてが、普遍的法則に服さない自律的創造物であるわけではない。私たちはニーチェに抗って、世界を美的現象として説明することはできないという事実をはっきりさせる必要がある。なぜなら、世界は美的現象ではないからだ。ロマン主義は間違っている。だからといって、ニヒリズムにも根拠はない。価値、美、真理は、現実（リアリティ）それ自体に、実在的（リアル）に存在する。アートそれ自体は素晴らしい。なぜなら、作品のなかには実際に素晴らしいものがあるからだ。アートが美しいとは、特定のアート作品が自分の構成（コンポジション）で定めた基準において高い水準にある、ということだ。その基準を、外から評価することはできない。作品はそれぞれ、自ずと判断される。作品とは、作品自らの美的判断なのだ。アートはわれわれ人間存在に、自分を愛するか尋ねはしない。私たちの方がアート作品に巻き込まれるか、巻き込まれないかのどちらかだ。それがアートの力なのだ。

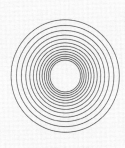

補論　懐疑のアート、アートの懐疑

マルクス・ガブリエル

補論　懐疑のアート、アートの懐疑

この世はすべて　夢と誤謬の編みもの
けれどもひとつ　確かな真実がある
思考の鏡をもつということ
それを知るのは、知っていると知らぬときだけ〔…〕
私たちは知っている　この世はまやかし　真実ではない
それでも　私たちは考える

フェルナンド・ペソア

はじめに、電話があった。しばらくして、誰かが応えた。いや、すべてはこんなふうにはじまったわけではない。むしろ、ビッグバンとか、神の創造の第一声のようなものがあったと普通は考えられている。神が六日で世界を作ったとする素朴な創造神話には失礼ながら、神の創造も結局のところさして神秘的な出来事とはいえない。何であれ、確定可能な仕方ですべてが始まったと分かっているなら、どこから物語を始めようと大した違いはないのだから。

神話は、絶対的な過去への道を開く。真に未知なる領域、すべてを決した未知の要因（ファクターX）への道を。神話は、時間や創造の概念を系譜学的にうまく説明することで、絶対的な過去を開示する。ところが、どうやら神話それ自体が、人類史の未知の要因（ファクターX）であるようだ。神話はそれ自体、絶対的過去の一部であり、理由づけられた純粋に論理的な空間が形成される以前の、無であるように見える。現代では、神話を参照して物事の理由を説明したり考えたりしようとしても、うまくいかないだろう。神話はもはや、私たちが自分の立場や世界におけるあり方を確認するための役には立たない。世界はまるで、謎であることをやめたかのようだ。とはいえ、近代科学の理解をもってしてなお、自然界における心（マインド）の領域が最大の謎として残されていることも確かである。隠し事の好きな自然は、いまだにこの秘密を守り続けている。自然界から神秘が取り除かれ、そのことが圧倒的な力ですべてを覆うようになった現在、私たちは心という奇跡を参照することで、自分の認識論的立場を救おうとするわけだ。

神話は抑圧され、認識に値する言説の外へと追いやられている。私はそれに対抗して、これから「新たな神話」というロマン主義的プロジェクトのアップデート版を大まかに描き出し、それを支持しようと思う。意外に思われるかもしれない。というのも以下に見るように、私は懐疑論に深く賛成の立場であり、一見したところ、懐疑論ほどロマン主義のプロジェクトから遠いものはないからだ。とはいえ、私が独自に新しい神話を展開するつもりはない。なぜなら、私が思うに、ハイデガーやウィトゲンシュタインの言うこの「世界像の時代（ワールド・ピクチャー）」（Zeit des Weltbildes）において、私たちはつねにすでに何らかの神話に閉じ込められているからである。私たちは必然的にひとつの文化に捕われる。私たちが世界と向き合うときに用いる基本概念は、文化によって形成されたものであって、何を語るにせよ文化の影響をすっかり透明に消し去ることはできない。したがって、新たな神話の内容を考える必要はないのだ。

私はこれから次のことを主張しようと思う。すなわち、懐疑論は、客観的知識の有限性について、ある洞察を与えている。そして私の考えでは、その洞察を具体化するのがアートであり、否定するのが認識論である。認識論とは、世界に対する理論的態度であり、知識一般とは何であるか、知識と世界はどう関係するかを客観的に説明しようとするものだ。私は懐疑論者と手を組むことで、そうした認識論に対抗し、アートと神話の必要性を擁護したい。アートから生み出される洞察は、しばしば懐疑論と近いところにある。だからといって、アートを切り捨ててしまうわけにはいかない。なぜなら、アートは私たちにとって、自分の世界内存在を概念化するための手段だからである。この点を明らかにするために、私は本論で「背景的知識」という概念を参照するだろう。ドイツの哲学者ヴォルフラム・ホグレーベが、二〇〇六年にハイデルベルク大学で行われたガダマーに関する講義で初めて用いた概念である。[1]

1 以下を参照。W. Hogrebe, *Wirklichkeit des Denkens. Vorträge der Gadamer-Professur* (hrsg. und mit einleitenden Barry Texten versehen von Jens Halfwassen und Markus Gabriel, Heidelberg, Universitätsverlag Winter, 2007).

本論の第一部では、懐疑論と有限性のつながりを確認する。第二部では、アートと懐疑論の相互依存関係についてさらに詳しく検討する。私が思うに、懐疑論はいわばコンセプチュアル・アートのようなものだ。懐疑論には、概念を通じて世界像（ワールド・ピクチャー）の偶然性を意識させる力がある。というより、ウィトゲンシュタインの言葉を用いるなら、世界像を生む「蝶番」の偶然性を意識させることができるのだ。[2] アートもまた、それと類似の仕方で機能する。アートは私たちに、世界を経験する自分のやり方が偶然であると自覚させる。それゆえ、アートと懐疑論には連続性がある、と私は考えている。本論の最後には、私自身がアートと懐疑論の同盟に実際に参加することになるだろう。そして、哲学という営みに対する私のアート的、かつ多少ニーチェ的な見解に対して、手短に二つの反論を紹介するだろう。

2　ウィトゲンシュタイン『ウィトゲンシュタイン全集9　確実性の問題／断片』（黒田亘、菅豊彦訳、大修館書店、一九七五年、§§ 341-342.）。

懐疑論と有限性

分析哲学系の認識論の伝統において、「懐疑論者」は悪意ある天才と考えられてきた。一般に懐疑論者は、知識の可能性や信念の形成過程の信頼性、意味などについて、不条理な疑いを挟んでくる者だと考えられている。それに対して、認識論者はこう主張する。私たちはあらゆる懐疑の誘惑に抵抗し、自分たちの知識を救わねばならない、科学やテクノロジーの成果に特徴づけられた時代を生きるならなおさらである、と。そうした文脈から、認識論の目標は自ずと懐疑論者との戦いになり、懐疑論者の不真面目な挑戦に答えることが認識論のゴールとして設定される。認識論者の試合のルールでは、懐疑論者が負けることがあらかじめ決まっているのだ。

その結果、現代認識論は成功の明確な基準を次のように定めることになる。すなわち、当の議論を設定することで、懐疑論をうまく反駁できるかどうか、少なくとも懐疑論の破壊的と思われる影響をうまく阻止できるか、という基準である。だが、私の考えによれば、懐疑論者は私たちにとても重要なことを伝えている。懐疑論者は、言葉によって語られたいかなる世界にも必然的に限界があるということを示し、それによって何か重要なことを言わんとしているのだ。それゆえ、懐疑論とは結局、私たちの有限性についての洞察である。丁寧に説明していこう！

デカルトの懐疑に発する近代認識論の成立過程において、懐疑論は多くの哲学者から一種のパラドクスとして理解されるようになった。この文脈でパラドクスとは、以下の三点をワンセットにした議論を指す。すなわち、一見しておそらく妥当と思われる前提と、一見しておそらく妥当と思われる推論規則、そして、その前提と推論規則から導かれるまったく受け入れがたい結論の三点である。[3] この問題についてはさまざまに異論もあろうが、今は議論を進めるため、ひとまず独断的にこう言わせてほしい。以下に示す三つの事例の構造を分析することで、懐疑論のパラドクスのもっとも典型的なひな型を取り出すことができる。

（A）自分が今、生まれて初めてローマを訪れたと想像しよう。美的な理由、もしくは宗教的な理由から、あなたは教会に参列している。司祭が何か神聖な言葉を口にしており、周囲では静かにお祈りをしている人がいる。全体の雰囲気は厳かで、そうした空気は立派な美術品から醸し出されている。どう見てもルネサンス期の偉大な画家の作品のようだ。こうした有無を言わせぬ証拠から、あなたはここで神聖な儀式が行われているのだろう

3 近代懐疑論をパラドクスという観点から分析したもっとも著名な例に、バリー・ストラウド『君はいま夢を見ていないとどうして言えるのか——哲学的懐疑論の意義』（永井均監訳、岩沢宏和、壁谷彰慶、清水将吾、土屋陽介訳、春秋社、二〇〇六年）がある。また、デカルト的懐疑のパラドックスがたいへん力強く再構成されている論考としては、以下を参照。Crispin Wright, "Scepticism and Dreaming: Imploding the Demon," *Mind*, vol. 100, 1991, pp. 87-116, and S. Schiffer, "Skepticism and the Vagaries of Justified Belief," *Philosophical Studies*, vol. 119, 2004, pp. 161-184.

と推論する。このもっともな結論に加えて、上記の証拠からはさらに別の帰結を引き出すこともできる。司祭はカトリック教会に仕えているのだろう、イタリアにはまだ信仰を守るカトリック教徒がいるのだろう、というように。

ところが、突然明かりが灯り、周囲の人々が今しがたの自分の演技について話しはじめる。気がつけば、イタリアの有名な映画監督、たとえばパゾリーニが教会の隅に立っている。壁の絵もよく見れば単なる安物のコピーだ（少なくともあなたにはそう見える！）。明らかに何かがおかしい。ここにある舞台装置すべてが、実は映画の一部であったと思わせる証拠が出てきたのだ。トラベルガイドにもほとんど載らないこのローマのつましい小さな教会では、どうやら映画が撮影されていたらしい。ひょっとしたらこの教会も、イタリアの舞台芸術家が念入りにこしらえた偽物かもしれない。しかし、おそらくパゾリーニが映画を撮っていたのだろうと納得したところで、あなたはまた別のことを考える。このシーンは、明日この教会で行われる結婚式のリハーサルなのかもしれない。実は新郎新婦がパゾリーニの知人の親友で、プライベートで楽しむために結婚式のドキュメントフィルムを制作してほしいと彼に頼んだのかもしれない。以上の例を、以下それぞれの例と比較してほしい。

（B）この世界の規則性について日々経験することに則り、あなたは自分が自然の一部であると推論する。「自然」について、あなたはカント風にこう理解している。すなわち、自然とは「その現存在からみた諸現象が、必然的な諸規則にしたがって、言いかえれば、法則にしたがって脈絡づけられたもの」[4]である、と。それゆえヒュームには悪いが、あなたは確信をもって、当然のように、自然の画一性を信じている。ミクロ領域とマクロ領域の間にある、おおよそ予測可能な振る舞いをする観察可能な物体からなる自然界に関して、自分が日々経験することには規則性がある。そのことに、自然の画一性は自ずと表れている、と。

4 イマヌエル・カント『純粋理性批判』、A版二一六頁／B版二六三頁（原佑訳、平凡社ライブラリー、二〇〇五年、四三一頁）。

（C）あなたは両手を挙げ、手がふたつ見える、と考える。手は物理的対象であるか、少なくとも何らかの物理的対象でできているのだから、ここには少なくともふたつ物理的対象がある、とあなたは推論する。ところで、外界とは、空間に存在する物理的対象の総体のことである。ゆえに、ここに物理的対象がある以上、何らかの外界が存在することになる。

以上の三つの例の構造を、以下のように表すことができる。

（A）イタリアの教会

I．あなたはローマの教会に入る。誰かが神聖な言葉をつぶやいている。見たところお祈りしている人もいるようだ。

II．何か神聖な儀式が行われている。

III．聴衆の前にいるのは、カトリック教会に仕える司祭であって俳優ではない。イタリアには信仰を守るカトリック教徒がいる、等。

（B）自然

Ⅰ．重いものを地面に投げても上には上がっていかない。ガラスを割っても動物にはならない、等。

Ⅱ．あなたは自然の一部である。

Ⅲ．自然界は存在する。自然界とは、「その現存在から見た諸現象が、必然的な諸規則にしたがって、すなわち法則に従って脈絡づけられたもの」である。

（C）外界

Ⅰ．あなたは両手を挙げる。

Ⅱ．少なくとも二つの物理的対象がある。

Ⅲ．外界がある。

以上の例には、明らかに一般的な構造が認められる。それぞれをI型、II型、III型と呼ぼう。これは、クリスピン・ライトが最近おこなった懐疑論の分析に倣ったものだ。[5] I型の命題は、確実に言えることを個別に記述する。II型の命題は、そうした確実な証拠を特定の記述のもとで解釈する。それに対して、III型の命題はI型・II型の命題から当然の帰結として導かれることであるように見える。あなたに両手があるなら〔I型〕、少なくとも二つの物理的対象がある〔II型〕、したがって、外界が存在すると考えられる〔III型〕、というように。

ライトの分析によれば、先の例には問題がある。あなたにI型命題を主張する根拠があり、そこからII型命題を論理的に導いたとして、その根拠はIII型命題にまで及ぶわけではない。要するに、I型命題およびII型命題を推論することによって、III型命題への信念を正当化することはできない

5 次を参照。Crispin Wright, "Wittgensteinian Certainties," in *Wittgenstein and Scepticism* (D. McManus, ed., London: Routledge, 2004), pp. 22-55; "Warrant for Nothing (and Foundations for Free)?" *Aristotelian Society Supplementary*, vol. 78 (2004): pp. 167-212. 基本的なアイディアは、すでにライトの以下の論文に著されている。Wright, "Facts and Certainty," Proceedings of the British Academy, vol. 71 (1985): pp. 429-472.

のである。なぜなら、III型命題が真であることは、I型命題とII型命題においで等しく前提されているからだ。たとえI型命題からII型命題と一緒にIII型命題を導くとしても、I型命題からII型命題を推論する時点で、III型命題はつねにすでに作用しているのである。

III型命題は、探究の前提条件である。III型命題が成り立たなければ、世界についていかなる事実も語れない。世界と認識論的やりとりをはじめるには、まず何かを前提する必要がある。したがって、私たちの認識論的立場は、認知的リスクのひとつなのだ。[6] 私たちは必然的に、世界について間違った判断をするリスクを冒す。それは、私たちが間違いを犯しやすいからではない（そのこともまた、私たちの知性の組み立てに関する偶然的事実ではあるだろうが）。そうではなく、私たちは互いに言葉で語ることの限界を課さねばならないがゆえに、判断を誤るリスクは取り去れないのである。言葉

6 Wright, "Wittgensteinian Certainties," pp. 49-50.

で語ることに限界がなかったら、世界に関して何かを信じる根拠はまるでなくなるだろう。私たちは、なんらかの外枠、可能性の地平を確立する必要がある。それなくしては、何ごとも吟味の対象となりえないのだ。

以上、懐疑論の問題を概観したが、ここから重要な帰結が得られる。つまり、言葉で語ることの限界を超える方法は、何であれ存在しない、という帰結だ。言葉で語られたいかなる限定的世界も、必然的に有限である。ある特定の言説において、あらかじめ真であると前提されるすべてのIII型命題を要求しようとすると、私たち自身のメタ言説から、下位レベルの言説の安定を統御する別のIII型命題の集合が必ず生まれることになる。言葉で語られることの有限性をこのように理解するなら、超越論哲学や思弁論理学といった哲学の古典分野であろうと、それを乗り越えることはできない。たとえあのヘーゲルであろうと、自分が『論理学』の原稿を書いたとき気が触れていなかったとか、自分が発明した思弁的言葉遣いは普通のドイツ語に由来するものだといったことを、暗黙のうちに前提していたはずなのだ。[7]

したがって、何にも拘束されない、文字通りの意味で無限の語りは、不可能である。言葉で語られたことの安定性には、潜在的に不安定な前提条件が含まれるのだ。そうした前提条件に向けて懐疑論が差し挟んでくる疑いを、当の語りの内部から擁護するということはできない。だからといって、ある言説に含まれるIII型命題が真であることを確認しようとすれば、つまり言い換えると、その言説の限界を超越しようとすれば、さらに別の言説に関与することになってしまう。その新たな言説も、私たちが最初に言説の限界を超越することで正当性を確保しようとした当の言説と、形而上学的に何ら変わりはないのである。

7　私が問題にするのは、数学的な概念としての「有限」ではない。私はむしろ、カント以後の哲学に見出される「有限性」と「無限性」の区別を参照している。カント以後の哲学によれば、他と異なるものとして規定されたものは有限であり（finite）、ゆえに限定されている（limited）。「断定は否定である」という有名な原則にしたがって言えば、限定されたものは定義づけられている、つまり規定されている、ということだ。以上の原理の帰結を通じて、懐疑論とニヒリズムを読み解いた論考として、Paul Franks, "Doubt, Negation, and Determinacy"（未発表原稿）を参照。言説の有限性［＝規定性］という概念は、数学的な有限や無限の概念と区別される必要がある。この点を私に指摘してくれた、デイヴィッド・ペラウアーに感謝する。私にとって、言説の有限性の論点は以下に存する。すなわち、いかなる言説も、一連の偶然的パラメー以上の論点を、私が別の論考で使った表現に当てはめれば、こう言えるだろう。言葉で語られたことの必然的有限性は、所与の語りが自分の前提条件をその作動自体において (in ipso actu operandi) 経験することができない、という事実によるものである、と。[8]

有限性に関する以上の懐疑論のポイントを、カント風に述べれば、こうも言える。何かを規定されたものとして経験するとき、つまり、何かをそれではない別のものとは異なるものとして経験するとき、経験の可能性の条件がすべて満たされているかどうかを当の行為のさなかに経験する能力は、私たちに備わっていない。私たちが何かを経験するとき、まさにその行為のなかで、その経験が可能であるためのすべての条件が満たされていることを経験する、ということはできないのだ。カントの考えによると、私たちがある対象の規定された表象と対面するには、経験一般の可能性の

ターによって意味が規定される。言説が規則に則ってなされることを保証するのは、偶然的パラメーターであり、そのパラメーター自体が当の言説のなかで精査の対象となることはない。

8 Markus Gabriel, "Die Wiederkehr des Nichtwissens —— Perspektiven der zeitgenössischen Skeptizismus-Debatte," Philosophische Rundschau, vol. 54 (2007): pp. 149-178 ; Markus Gabriel, *An den Grenzen der Erkenntnistheorie. Die notwendige Endlichkeit des objektiven Wissens als Lektion des Skeptizismus* (Freiburg/München: Alber, 2009).〔『認識論の限界で　懐疑論の教訓としての客観的知識の必然的有限性』未邦訳〕。

条件（カテゴリー、統制的理念など）が満たされている必要がある。カントはそのことを超越論的に知りうると信じていたが、たとえそれを知ることができたとしても、私たちが現に身に受けている経験に関して、そこから必然的に言えることは何もない。

別の言い方をすれば、表象の様態で何か確定的なことを経験する可能性の条件が、その事実それ自体によって、ある対象の実際の経験の可能性の条件であるわけではない、ということだ。[9] これこそ、懐疑的なシナリオが用意される理由である。認識論的に最大限責任ある振る舞いをし、自分の認識論的関与を支える証拠をどれだけ集めてみたところで、私たちは物事の実際の状態と、それを概念化する仕方の間に必ずギャップを生み出すことになるのだ。

とはいえ、何かを表象の様態で経験するということは、その何かをあた

9 〔訳注〕何かを何かとして経験するための条件がすべて満たされたとしても、それが実際に何の経験であるかは決定されていない、ということ。たとえば、目の前の対象がどう見てもリンゴのように見える場合、それだけで「これはリンゴである」とみなすのは妥当なことだが、だからと言って、実のところそれが未知の果物であったり、白昼夢や錯覚であったりする可能性が排除されたわけではない。「りんごがある」かのように経験することは、どこまで行っても、それが実際に「りんごがある」ことの経験であることを保証できない。

かも私たちの経験とは独立に存在するかのように経験する、ということである。心とは独立に存在する表象可能な世界という想定は、大部分、表象の概念に関するこうした単純な文法的観察に基づくものだ。しかしながら、「私たちは「あたかも」という志向性を通して物事を経験する」という抽象論議をしたところで、現実的(リアル)な出来事の経過については何も分からないし、ひいては私たち自身の経験についても何ひとつ教えてもらえない。セラーズの言葉を借りるなら、私たちは「悪名高い「する」／「される」(ing/ed)の区別」を説明する必要があるのだ。[10] さもないと、超越論的、ゆえに経験によって反証されない(ア・プリオリな)推論によって、次のような経験の可能性はあらかじめ除外される、と認めてよいことになってしまう。すなわち、今のところまだ表に現れていないが、目の前の現れと存在論的に両立可能であるような〔現在の信念と異なる〕経験の可能性、ゆえに経験

10 ウィルフリド・セラーズ『経験論と心の哲学』(浜野研三訳、岩波書店、二〇〇六年)。
〔訳注〕「悪名高い「する」／「される」の区別」(この表現はブランダムのもので、セラーズの表現は「悪名高い「する」／「される」の両義性」、前掲書五六頁参照)とは、直接経験において何かを経験することと、経験された内容の区別の問題。たいていの場合、経験と経験のされ方の間にズレを想定することができるが、直接経験の場合、そうしたズレが想定しにくい。たとえば、ある場面を「教会でミサが催されている」こととして経験した場合、事後的にそれが間違いだった(実は映画

を通じてあとから反証されうる（ア・ポステリオリな）可能性である。だが、教会で説教を聞いている聴衆が本当に自分がそうと信じる聴衆なのか、それとも周囲の人が単に自分を騙しているだけなのかを、哲学的な議論によって証明する方法は、明らかに存在しない。自分が『トゥルーマン・ショー』のなかにいるのではないということを、認識論の議論によって証明することはできないのだ。デヴィッド・リンチの『マルホランド・ドライブ』に出てくる、劇場「シレンシオ」の不気味で啓発的なシーンのように、すべてはあらかじめ録音されているのかもしれない。すべては、現にそう見えているものと異なるかもしれないのだ。

西洋形而上学の幕開けとなる、有名なプラトンの洞窟の比喩をさらに徹底させて、私は次のように主張したい。「私の仲間は自分が置かれたイデオロギー的状況について、本当とおぼしい事実を知らないでいる。そして

の一場面だった）と判明することは想像できる。それに対して、たとえば痛みや赤く見えることが、事後的に「痛い」経験や「赤く見える」経験ではなかったと判明する可能性は考えられない。しかし、セラーズによれば、直接経験ですら、生の経験とその経験のされ方が一致するわけではない。たとえば、①「向こうにあるリンゴが赤いのを見る」、②「向こうにあるリンゴは赤く見える」、③「向こうに赤いリンゴがあるように見える」は、同一の直接経験をめぐる、異なる経験のされ方である（①では赤い対象があることが認められているが、②では対象が赤いかが不問にされおり、③では色と対象の存在の両方を不問にされている）。たとえ直接経験であろうと、経験された内容は経験することそのものではない。つまり、ガブリエルが指摘するように、「私たちは物事の実際の状態と、それを概念化する仕方の間に必ずギャップを生み出すことになる」。

代わりに、単なる見かけ、つまりイメージに囚われている」とあなたが理解するそのときでさえ、あなたはやはり間違いを犯しかねないのだ。つまり、そこで自分がもうひとつ別の語りを作り出し、それによってあらたに一連の限界を課していることに気がつかないで、「自分は言葉で語られたことの限界を超えている」と信じてしまうかもしれないのである。だが、そうした限界を課すことなしには、あなたは〔洞窟の比喩という〕批評的言説を通じて、はっきりと自明なことを何も取り決められない。

言葉で語られたことは、無限の可能性を必然的に狭めることになる。何か定められた対象について、人にも理解可能な定められた場面の一部として参照するには、そうしないわけにはいかない。これは、〔政治や文化の〕批評で自分の立場を正当化する際に起こる問題である。文化批評は、それが批評する当の文化の一部をなすのだから、その批評自身の立場をどう正当化するか、という自己言及的な問題が生じる。この問題は、フーコーやアドルノ、ハーバーマスなど、さまざまな思想家によって扱われている。だが私の考えでは、この問題は、言葉で語られたことに有限性の構造があるために生じるのだ。定められた内容をもついかなる言説も、有限性の構造を免れえないのである。

ウィトゲンシュタインは『確実性の問題』のなかで、あらゆる（認識論的）言語ゲームは、言語ゲーム内では手に入らない確実性に依拠する、と主張する。ウィトゲンシュタインはこの考えをさらに敷衍し、ごく一般的な文化批評の文脈にまで拡げて論じた。そこで彼は、いかなる知識もひとまとまりの「神話」ないし「世界像（Weltbild）」を前提する、と述べている。[11]

ウィトゲンシュタインによれば、私たちが世界と交わす認識論的なやりとりは、ある正確な意味において、神話的である。私たちは、気がつけば

11　ウィトゲンシュタイン『確実性の問題』§95、§97などを参照。「神話」の概念について、私は以下の本で、シェリングの神話の哲学をめぐる講義に依拠しながら詳しく論じている。*Der Mensch im Mythos: Untersuchungen über Ontotheologie, Anthropologie und Selbstbewußtseinsgeschichte in Schellings Philosophie der Mythologie* (Berlin/New York: De Gruyter, 2006).〔『神話の中の人間――シェリング『神話の哲学』における存在神論、人間学、自己意識の歴史に関する考察』未邦訳〕

つねにすでに神話のなかへ投げ込まれている。ここでいう神話とは、体系的に編まれた信念のことである。それがあるおかげで、私たちは哲学の講義や、神への礼拝、友人との夕食、演劇、結婚、科学的調査など、生活のさまざまな場面をそのようなものとして確定することができる。典型的なイメージや、そうしたイメージでコード化された行動パターンを予期することによって、私たちは信念の編物、すなわち神話に精通するのだ。

世界に関する背景的知識は、神話的である。つまり、命題の形をしておらず、科学的ではない、ということだ。背景的知識は、前科学的だが、取り去れないほど根本的なものである。なぜなら、態度決定の可能性は、背景的知識があってはじめて開かれるからだ。私たちは神話の助けを借りて生活の場面を見分けている。神話がなければ、人間らしい生活を送ることなどできないだろう。ところが、私たちにとって世界像を開くための蝶番は近代科学である。私たちが近代科学という曖昧な概念を選択する限り、神話は命題的、学識的、科学的な言説に対置されるよりほかない。

ウィトゲンシュタインは、言語ゲームの回転軸となる蝶番について、注意深く論じている。彼自身が示唆するように、そこで問題となっているのは、所与の神話のことだと考えていいだろう。私たちは神話を通して世界の内に存在する。それはつまり、何であれ経験を組織立ったものにするには、言葉に限界を課す必要がある、ということだ。「限界を課す」といっても、そのこと自体は、私たちに責任を負える理性的な行為ではない。私たちはどこかの段階で、何かを正当化する自分の行いを、それ以上正当化できない地点に至る。まさにそのことを、懐疑論者は私たちに教えてくれるのだ。

世界の内にある私たちの在り方が、主としてイメージ言語によって分節されているのは、このためである。それらの原型的なイメージは、プラトンのイデアのように機能する。原型的なイメージにより、出来事の流れが予測され、一定のルールが定められる。私たちはそのルールによって、自分が得た根拠を特定の仕方で組み立てるのだ。一例に、私のこの発表を聴いている人が、どんな場面に参加しているかを考えてみよう。全員が一定の仕方で出来事の流れを予測しており、その仕方はある程度まで全員に共有されている。たとえば、私はフランスのポストモダンの哲学者ではないから、二時間以上しゃべりはしないだろうとか、私が原稿を読みながら踊り出したり、歌いだしたりしないだろう、というように。こうした（ウィトゲンシュタインなら「確実性」と呼ぶ）命題のリストは、明らかに際限なく続く。リストをどれだけ連ねても、認識の条件を定める超越論的原理を目録にしたことにはならない。なぜなら、リストに記載された個別の事項は、どれもまったく確定されていないからだ。大なり小なり限定された解釈を与えるまで、あなたは自分が確信していることについて、その真偽を見きわめるために何かをしたわけではなかった。その事実に気づくやいなや、懐疑の問題は生じるのである。

もちろん、よく考えもせず、特定の文脈に特定のルールを適用したため失敗する、ということはいつでも起こりうる。たとえば、習俗をあまり知らない外国へ行ったときなどには、そうした経験がよく起こる。だが実のところ、この種の経験は日常生活のあらゆるところで生じている。なぜなら、私たちが経験する情況は、決して原型によって保証された通りのものでも、自分が漠然と予測する通りのものでもないからだ。したがって、私たちの日常生活は、ある意味ずっと期待外れの連続だったのである。それを最初に指摘したのは、あるいはプラトンかもしれない。なぜなら、日々起きることは、まさしくイデアの領域に達していないからだ。[12] 原型をなすイメージと、その有限な現実化の間には、存在論的差異がある。それこそが、私たちの実存的自由のプレイグラウンドであり、実存的投企の可能性だ。私たちは、与えられた自明なことがらをどう解釈するか決めなければならない。そのためのルールは、ある程度まで仲間によって承認されている。そうでなければ、自分の振る舞いのせいで、仲間たちから制裁を受けることになるだろう。これは、言葉で語られたことの権威に関する（あるいはロバート・ブランダムよりニーチェがお好みなら、権力への意志に関する）単純な事実だ。

世界像（ワールド・ピクチャー）という私たちの神話は、背景的日常性のなかで生じる意味論的可能性を限界づけている。あらゆる神話体系において、原型的な場面を演じる劇中人物（dramatis personae）は、多かれ少なかれ限定された集合で構成さ

12 Stanley Cavell, "Human existence, with its gift of language, chronically presents itself as a melancholy, disappointing business," *Philosophy the Day After Tomorrow* (Cambridge, MA: Harvard University Press, 2005), p. 115.

れる。たとえばギリシャ神話では、神話に登場する主人公は、神、英雄、王、司令官、ダイダロスのような発明家と相場が決まっているし、彼らが登場する物語において、私たちに呈示される存在の可能性は限られている。このように、神話的な語りと登場人物が織りなすネットワークは、世界が現れる際の枠組(フレームワーク)、ないし地平を、一定の仕方で限定しているのである。[13]

ギリシアの悲劇作家アイスキュロスによる神話の使い方は、その分かりやすい一例だろう。紀元前五世紀のアテネ市民は、民主的な裁判を制度化する大変さをやはり理解していた。アテネ市民は、克服されねばならない力があると知っていた。アイスキュロスはその力を、いにしえの〔復讐の〕女神たちという形で『オレステイア』に登場させる。彼は神話的な語りの形式を通じて、アテネ市民にアレオパゴス会議という制度を示したのだ。それによって、彼は世の出来事の流れ、ひいては一般に何が自明とされて

13 芸術と、科学という枠組の偶然性との関係について、ジェイ・バーンスタインは同様の見解を述べている。彼はハイデガーに倣い、「科学という枠組が、科学的「世界」の地平を制定するのと同じく、偉大な芸術も、ひとつの世界の地平を制定することができる」と主張している。J. M. Bernstein, *The Fate of Art: Aesthetic Alienation from Kant to Derrida and Adorno* (Cambridge: Polity Press, 1992), p. 85.

いるかを、合理的な仕方で解釈できるようにしたのである。

ところで、あなたがもしアテネに住むマルクス主義者ないし精神分析医だったら、あるいは単にアテネのプラトン主義者ということでもかまわないが、こう疑ったかもしれない。アイスキュロス、いや、ギリシャ神話全体が、イメージをイデオロギー的に濫用しているのではないか、と。だが、ウィトゲンシュタインが指摘するように、そう考えたところで、あなた自身が別の神話を導入していないとはかぎらないのだ。ウィトゲンシュタインの考えによれば、どんな文化も、どれほど中立とみなされる理論も、私たちを捕らえて離さない像（ピクチャー）やイメージを作り出している。[14] 私にとって、ウィトゲンシュタインの「神話」概念の使い方がきわめて示唆に富むのは、この点においてなのだ。プラトンの洞窟の比喩、マルクスによる終末論的大きな物語（メタ）や並外れた比喩の使用、フロイトやユングにおける神話の使用

14 別のところで論じたが、これはウィトゲンシュタインの言説自体にも当てはまる。以下を参照。Markus Gabriel, "Der ästhetische Wert des Skeptizismus beim späten Wittgenstein," in *Philosophie als Lebensform* (J. Volbers, G. Gebauer, and F. Goppelsröder, eds., München: Fink, 2008).

など、どれもウィトゲンシュタインの正しさを示す確かな証拠である。

重要なのは、アイスキュロスが神話を使用することで、虚焦点（focus imaginarius）が生み出されるということだ。それにより、民主主義という出来事が、限定された表現様式のもとで読み解けるようになるのである。プラトン主義も、マルクス主義や精神分析も、アイスキュロスの神話と同じ（必要不可欠な）要求に応えている。つまり、そのいずれも概念のネットワークを作り上げ、それをもってすべての出来事の究極的な参照点にしようとしているのだ。

古代ギリシャの民主制度に限らず、この世界で起きるほかのすべてのプロセスは、同じくらい複雑である。あなたが今、ナポリ湾で船に乗っていると想像してほしい。ソレントの美しい街並みが見えてきたところで、あなたはふとこう思い直す。この光景はすべて、時空間にある素粒子の運動が全体として作り出したただの現れにすぎない、と。ありふれた対象ででき た世界は、ただの現れだ。だが同時に、目の前の光景はどこまでも現実のものでもある。あなたは、現象学ならこの現れを救うことができるかもしれない、と考える。だが、結局次のことを理解すれば、現れを救う必要などない。つまり、現在進行中の出来事について、絶対的真理にアクセスする方法は、ひとつであるとは限らないのだ。なぜなら、どのような解釈をしようと、何らかの神話、つまり、無限の可能性を限界づける何らかの「虚焦点」を用いることになるからである。

神話は、そう思われるほど単純ではない。神話は、近代科学によって訂正されるべき、ナイーブな世界像などではないのだ。なぜなら、これまでの分かりやすい例からも分かるとおり、原型的なイメージが全体として作り出すネットワークは、〔原型的なイメージ自体より〕はるかに複雑で偶然的だからである。世界像を全体として決定するのがどのような構造とメタファーであるか、どれだけ調べたところで、世界の背景的理解を回避することはできない。重要なのは次の点だ。すなわち、どの状況でも有効に働くIII型命題と、どの文脈でもそのIII型命題の使用を統御できるようなパターンを、すべてリスト化することはできないのである。III型命題を（フーコー的な意味で）アーカイブ化しようとすれば、必然的に当の自分の語りを支配する別の一連のIII型命題を用いることになる。[15] 言葉で語られた世界の限界を超える方法は、明らかに存在しないのだ。

　言葉で語られた世界の限界は、普段あまりにも遠くにある。だが私たちは、少なくとも哲学するとき、その限界を超越したいと望まずにはいない。通常の言葉使いでは、自分が語ることの限界に触れることさえできない。だが、哲学は変則的な語りから生まれてくる。[16] つまり、超越の可能性から

15　マイケル・ウィリアムズが気づかせてくれたことだが、クリスピン・ライトの懐疑論の分析には、一連の超越論的なIII型命題を見出そうとする傾向がある。たとえば、ライトは外界の存在や、懐疑論パラドックスを生み出す人の合理性を、言説全般の必然的かつ一般的な（ゆえにア・プリオリな）条件であると信じているようだ。しかし、私の考えでは、ライトのそうした（やや反ウィトゲンシュタイン的な）傾向は、I—II—III型命題の分析に本質的に内在する問題ではなく、懐疑論に反対するライト固有の戦略に属するものだ。この点については、ウィリアムズの以下の論文を参照。Michael Williams, "Wright against the Sceptics," in *Mind, Meaning and Knowledge: Themes from the Philosophy of Crispin Wright* (Annalisa Coliva, eds., Oxford; Oxford University Press, 2012), pp. 352-376.

生まれてくる。

スタンリー・カヴェルは『理性の要求』のなかで、懐疑論には「自分自身の人としての属性を否定したいという願望」があると説明している。[17] 私の理解によれば、カヴェルが主張しているのは、有限性の必然的限界を超えようとすると必ず懐疑論が生じる、ということだ。ここで言う「有限性の必然的限界」とは、私たちの言葉のうちでなされる当て込み(プロジェクト)のことである。[18] 状況や自明なことを言葉で描写するとき、私たちは可能性を限界づける。言葉はつねに新しい文脈に投じられなければならない。私たちが意識的に過ごす人生のあらゆる瞬間に、言葉は新しく生まれた認識論的環境に当て込まれなければならない。その環境は、目の前の世界の状態を自分たちがいかに表現し、その表現をいかに理解しているか精査することによっては、予測できないのである。

16 私が参照しているのは、もちろんリチャード・ローティによる通常的(normal)言説と、変則的(abnormal)で創造的な、すなわち語彙転換的な言説という区別である。リチャード・ローティ『哲学と自然の鏡』(野家啓一監訳、産業図書、一九九三年、三七二―三七三頁)を参照。

〔訳注〕ローティは次のように述べている。「通常的言説とは、何が当の問題に関与する貢献であり、何が問題への回答であるのか、また何がその回答に対する優れた論証ないしは優れた批判であるのかをあらかじめ定めているような、すでに同意の得られた一連の規約の内部で営まれるものである。したがって変則的言説は、これらの規約に無知であったりそれを無視したりする人が言説に参加する場合に生ずるものである。〔…〕変則的言説は、ナンセンスから知的革命に至るあらゆるも

クリスピン・ライトは同様の事実を、「認知の局所参照性」(cognitive locality)という言い方で指摘している。ライトによれば、「認知の局所参照性」とは、「いかなる状況であれ、私たちの意識に直接利用できるのは、自分が概念化できるような状態に関する、適切な部分集合のみである」という事情のことだ。したがって、「それ以外のことについて、何らかの知識や、当然と思われる意見をもつことがあるとしても、それは究極的に、私たちがすでに認識した材料からの推測に基づくものであって、いつでも取り消し可能でなければならない」[19]のである。

しかしながら、「認知の局所参照性」という事実、つまり、有限性の事実を指摘することで、ライト自身は言葉の限界を超えている。私たちの有限性に関して、自分は何か重要なことを伝えていると彼は主張する。この主張において、ライトはもはや認知の局所参照性を分析される人間と同じ

のを生み出すことができるが、予測できないものや「創造性」に専念する学問が存在しないように、変則的言説を記述する学問は存在しない」(同書、同頁)。

17 Stanley Cavell, *The Claim of Reason: Wittgenstein, Skepticism, Morality, and Tragedy* (Oxford: Clarendon Press, 1979), p. 109, p. 207, p. 378.

18 「私たちは特定の文脈のなかで言葉を学び、教える。それ以後は、別の文脈にもその言葉を当て込むことができると人から期待され、また自分も人にそれを期待するようになる。ある言葉を特定の文脈に当て込んでよいか保証するものは、何もない(とりわけ、普遍的性質の理解、規則性の理解は、何によっても保証されていない)。ちょうど、自分が人と同じ当て込みを、人と同じ

ように有限であるわけではない。これは、彼がよく引き合いに出す悲劇的アイロニーの一種の哲学版である。まるで私たちの有限性の内側から、有限であるという事実自体を問題にできるかのようだ。これは懐疑論的態度の特徴である。懐疑論的態度は、判断や経験の有限性、より広く言えば言葉の使用の有限性を伝えるために、〔それを伝える自分自身の有限性について〕判断を保留する。そのことによって、自分の人としての属性を否定したいという願望をさらけ出すのだ。

　自分の人としての属性を否定したいという懐疑論的願望は、懐疑の技法(アート)が実行されるとき、姿を現すようになる。懐疑論者は、自分自身の言葉の使用を絶えず超越し、自分の言葉の適用条件から自分を除外する。私たちの言葉の実践は有限であると洞察することを通じて、懐疑論者はまさに言葉の限界を超越しようとする自分の姿を晒しているのだ。懐疑論者は「言

やり方で行っていることを保証するものが何もないのと同様である。私たちが全体としてそのようであることは、根本における共有の問題である。つまり、興味や感情、応答の仕方、ユーモア感覚、意義や充足の感覚、何をひどいと感じ、何と何が似ていると感じるか、何を非難し、何を許すか、どの発言を主張や懇願や説明として捉えるかといったことが、私たちの間で根本的に共有されているという問題なのだ。この有機的な繋がりの輪を、ウィトゲンシュタインは「生活形式」と呼ぶが、人が話すことや行うこと、人間としての健全さや人間同士の共同体は、すべてこの根本の共有に依拠しており、それ以上でも以下でもないのである。この考え方はシンプルであり、また捉えがたい。捉えがたいと同時に、恐ろしくもある（恐ろしいから捉えがたいのだ）」Stanley Cavell, *Must We Mean What We Say?* (Cambridge, MA: Harvard University Press, 1969), p. 52.

語ゲーム」、「背景的知識」、「有限性」、「認知の局所参照性」といった言葉を、一見悪気なく、つまり説明的に用いることで、アルキメデスの点〔超越的視点〕から議論しているように見える。私たちの限界を指摘するこうした議論の背後には、確かに哲学の営みがある。だが、懐疑の技法は、その哲学の営みを見えなくする方法でもある。それゆえ、カヴェルが『明後日の哲学』で述べているように、懐疑論は形而上学的な超越の「知的双生児」なのである。[20] 懐疑論と超越は、どちらも言語の説明的使用を吹き飛ばすパフォーマンスとしてのみ可能なのだ。だが、一定の語りの限界を越えると、〔懐疑論が〕述べるべきことは何もなくなる。どこからも眺められない景色は、何も見えない景色だ。それは、その景色がこの世界のはるか彼方にあるからではなく、そもそも景色ですらないからだ。それゆえ、懐疑論者はまったく何にも言及せず、しかも本当のことを指摘している。つま

19 Crispin Wright, "Warrant for Nothing (and Foundations for Free)?" p. 259. またライトの前掲論文"Wittgensteinian Certainties"によれば、「認知の局所参照性」は「事態や出来事の拡がりは、自身の直接的意識の枠を超えたところに存在するという考え」と定義される(p. 52)。

20 Stanley Cavell, *Philosophy the Day after Tomorrow* (Belknap Press, 2005), p. 195. また、カヴェルは別の箇所でこう述べている。「懐疑論が明らかにするのは、人知の無能ではない。そうではなく、私がこの世界で自分や自分の感覚を越えているとみなすものに関しては、私がその存在を十分に受け合うことはできない、ということを明らかにしているのだ」(同書、p. 12)。したがって、認知の局所参照性について

り、言葉で語られる私たちの世界は必然的に有限なのだということを。
なるほど、この私も「言葉で語られる世界には必然的に限界がある」と述べており、そこには自分の人間としての属性、有限性を否定したいという願望が表れている。私はあたかも、非常にシンプルに見えるのに、どうしても語れないことを語ろうとしているかのようだ。ここで問題なのは次の点である。すなわち、懐疑論の語りは、有限性について、依然として謹厳な哲学の形式を前提している。つまり、懐疑論は古典的なロゴス中心主義の形式を前提しているのだ。懐疑論の言説は、人間の知識や、知識と世界との関係について、何か根本的で、さらには包括的な命題を提示しようと望んでいる。

ところが、人間の知識は物のように客体として存在しているわけではないし、それ自体としての世界や、人間の知識が世界と結ぶ関係も、客体と

語ることは、まさしく懐疑を表明することなのだ。なぜなら、私の現在の自明性を越えたところに世界が存在すると認めることは、認知の局所参照性によって否定されるからである。

して存在しているのではない。人間の知識やそれ自体としての世界が万が一客体になるとすれば、それは「人間の知識やそれとしての世界とは、かくかくしかじかである」と主張する語りのなかで対象にされるのでなければならない。ところが、そのような語りはどんな可能性も限定しない語りであるはずだから、無限定な語りということになる。その無限定な語りは、現実に規定されたものが何もないところで、何かを言わんとしていることになってしまう。

規定されているということは、何かではないということであり、何かではないということは、有限だということだ。規定性は否定を前提し、否定は有限性を伴うのである。知識にせよ、世界にせよ、その絶対的な一者性について、私たちの普段の命題的言語で言及することはできない。私たちが普段使っている命題的言語は、一定の語りの安定性をつねに前提するからだ。

否定神学の問題点を思い出そう。否定神学は絶対的な一者について、存在を超えて、すなわち規定性を超えて、語ろうとする。フィヒテが後にベルリンで書いた『知識学』のことも思い出してほしい。そこでフィヒテは、後にシェリングやヘーゲルに影響を与えた絶対知の概念を導入し、それによって言葉で語られた知の限界を超えようと試みた。ところが、フィヒテは絶対知（すなわち、いかなる限定的な対象ももたない知についての知）が何であるかを、最後まで読者に示すことができなかった。なぜなら、フィヒテ自身も認めるように、それは結局「何ものでもないものの知」ということになるからである。[21]

懐疑論者は、言葉の有限性について正しいことを述べているし、それゆえ知識の有限性についても正しく論じている。それにもかかわらず、懐疑

21 フィヒテ「一八〇四年第二回講義」第二講（『フィヒテ全集第一三巻 一八〇四年の『知識学』』山口祐弘訳、晢書房、二〇〇四年）、二五一―二五二頁。

〔訳注：フィヒテはこう述べている。「人がまったく正しく省察している場合には、まったくすべての存在はそれについての思惟ないし意識を措定するということ、従って存在は分離の項であり一方の半分でしかなく、それに対しては思惟がもう一方の半分となること、それ故統一は一方の半分にも他方の半分にも置かれるべきではなく、両者の絶対的靭帯＝絶対的な純粋知、従って無についての知のうちに置かれるべきであるということ」（前掲書二五一頁）〕

論者は自分自身の言葉の使用については判断を留保するのでない限り、自分の主張を言い表すことができない。懐疑論者は自分の人間としての属性を脱ぎ捨てなければならないのだ。私たちは懐疑論者が何か重要なことを伝えようとしていると感じる。それなのに、自分が懐疑論者になりたいと思わないのは、そのためである。だが、もしかすると命題的な語りの限界を超える別の一貫した表現様式が存在するかもしれない。カヴェルが言うような「疑心暗鬼の怪物」になる危険を冒さずとも、[22] 私たちに自分の有限性に直面させてくれる、私たちの世界内存在について何かを教えてくれる、そんな表現様式が。

22
以下を参照：Cavell, *The Claim of Reason*, pp. 418-420.

アートの懐疑論

きわめて明白であるにもかかわらず、アートと懐疑論に親和性があることは、これまでほとんど注目されてこなかった。なるほどシェイクスピアにデカルト風の懐疑が見られることや、お望みならデカルトにシェイクスピア風の懐疑が見られることについては、カヴェルが自著で取り上げている。[23]だが、アートと懐疑論を結ぶ関係については、それ以外にも語るべきことがたくさんある。たとえば映画『マトリックス』三部作は、現代哲学、とくにヒラリー・パトナムや（いくぶん誤解されているものの）ボードリヤールのハイパーリアリティの概念から、明らかに多くの影響を受けている。こうした現代の例以外で、目立った事例は古代にも見つかる。古代ギリシアの懐疑論哲学者セクストス・エンペイリコスは、悲劇詩人エウリピデス

23 以下を参照：スタンリー・カヴェル『悲劇の構造　シェイクスピアと懐疑の哲学』中川雄一訳、春秋社、二〇一六年。

と、とりわけその悲劇『ヘラクレス』について論じている。『ヘラクレス』は、主人公の英雄ヘラクレスが狂気の女神リュッサに取り憑かれ、自分の家族を敵と勘違いして惨殺する話だ。[24] 詩人ピンダロスは有名な詩篇のなかで「人は影の見る夢」と説いている。[25] これは、いわゆる夢の懐疑を、詩の形で先鋭化したものとして読むことができる。ショーペンハウアーもまた、懐疑論的になったり観念論的になったりする自分の思想の要点を説明するために、カルデロン・デ・ラ・バルカの戯曲『人生は夢』にたびたび言及している。ショーペンハウアーはバルカの戯曲を通じてこう主張した。感性の世界は単なる表象である。そこでは、形而上学的な意志が理由もなく自分自身を対象にしているのだ、と。こうした例はほかにもたくさん見つかる。

現代アート美術館は、懐疑の例に満ちている。私たちに理解できること

24 たとえば以下を参照。セクストス・エンペイリコス『学者たちへの論駁〈2〉論理学者たちへの論駁（西洋古典叢書）』（金山弥平、金山万里子訳、京都大学学術出版会、二〇〇四年）、一一六―一一八頁。

25 ピンダロス『祝勝歌集／断片選（西洋古典叢書）』（内田次信訳、京都大学学術出版会、二〇〇一年）、一九七頁。

の限界、知識の境界が、アート作品によって示されているのだ。それゆえ、懐疑論の観点からは、アートにたやすくアクセスできる。逆に、懐疑論に反対する認識論者は、アート批評に関わることにむしろ慎重であるべきだろう。たとえば、G・E・ムーア[26]のような古き良き常識的理論家が現代アートの美術館を訪れたり、デヴィッド・リンチの映画を観たり、ボルヘスの物語を読んだりするところを想像してほしい。ましてやムーアがそうした思想家たちを彼の専門研究書のなかで引き合いに出したら、どんな扱いになるかを。

一見すると、私たちの理解するアートの問題を、認識論の理論からきっぱり区別するのはそれほど簡単ではなさそうである。ところが、哲学がさまざまな下位分野からなる学問として理解されるようになって以来、アートと認識論の関係は、哲学の大きな課題としては、ほとんど取り上げられ

26 〔訳注〕ジョージ・エドワード・ムーア（一八七三―一九五八）は、分析哲学の基礎を築いたイギリスの哲学者、倫理学者。認識の限界を問題にする懐疑論とは対照的に、一見無限に思える言説に対しても、直観によって判断できるとする立場をとった。

なくなった。だが、認識論の嚆矢であるプラトンの『テアイテトス』を読めば、この作品が単に懐疑論に反対する説話として認識論について書かれたものではないことに気づくはずだ。確かに、この作品には懐疑論に反対する部分があるが、この作品はまた演劇形式の対話で書かれてもいる。つまり、ひとつのアート作品でもあるのだ。[27]

思いきってこう主張したい。認識論を懐疑論の挑戦に答える真面目な作業として理解するとき、あなたは懐疑論者について重要なポイントを見逃している。それは、懐疑論者は真なる命題を理論的な言葉で表現しようとする理論家というより、むしろアーティストに似ている、という点である。だからこそ、多くの認識論者は、懐疑論側のシナリオを構築してみせるときには卓越した想像力を発揮するのに、懐疑の誘惑に対抗しようとする段になるとまた日常の真面目な散文にまで退却しまうのだ。私が見るところ、

27 古代懐疑論を悲劇的洞察の展開として読解する研究として、次の拙著を参照。*Antike und moderne Skepsis zur Einführung* (Junius Verlag; 3., unveränderte Edition, 2021).

パトナムの「水槽のなかの脳」の仮説の冒頭部分に出てくる、砂にウィンストン・チャーチルの似顔絵を描くアリの話や、アルヴィン・ゴールドマンの有名な論文「識別と知覚的知識」で、ヘンリーがハリボテの納屋が立ち並ぶ地域を旅する場面は、啓発的であるばかりか、読んでいて愉快でもある。[28]

しかし、私は身近にいる懐疑論者と上手に戦えるとは思わないし、戦うべきだとも思っていない。なぜなら、知識の有限性について懐疑論者が述べることは正しいからである。懐疑論者が言う通り、知識の有限性は、知識を要求するために必要な条件であり、それゆえまた、言葉で何かはっきり定まったことについて語るための条件なのだ。

ところで、アートは次のことを明らかにしてくれる。すなわち、私たちが世界を概念化する仕方は、さまざまな可能性の偶然の連なりによって構

28 ヒラリー・パトナム『理性・真理・歴史　内在的実在論の展開』（野本和幸、中川大、三上勝生、金子洋之訳、法政大学出版局、二〇一二年）、一頁。Alvin Goldman, "Discrimination and Perceptual Knowledge," *Journal of Philosophy*, vol. 73 (1976), pp. 771–791.

〔訳注〕ヘンリーの逸話とは次のようなもの。ヘンリーがドライヴしながら、息子に郊外の風景を説明している。あるところで、ヘンリーは息子に「あれが納屋だ」と説明するが、実はその辺りは、裏面のない納屋のハリボテがたくさん建っている地域だった。このとき、「ヘンリーは納屋が何であるかを知らない」と言うべきか、と問うことで、ゴールドマンは『知っている』という言葉の適切な使用を検証する。

造化される、ということだ。日々の暮らしのなか、私たちはそうした可能性が偶然であることを無視し、あたかも知識や現実の必然的基盤であるかのように解釈しがちである。ところがアートは、異なる前提の上に成り立った別世界をしばしば創造することで、私たちに一見必須であるかに見えた世界観が、実は偶然的なものであることを教えてくれる。アートはそのようにして、私たちの世界像にデフォルトとして組み込まれた存在論に対し、異議を唱えるのだ。

アートはまた、私たちの言葉の実践が暗黙のうちに何を前提しているかを明らかにし、それによって、違った形で何かを語ることを可能にしてくれる。たとえば、ヴィスコンティの素晴らしい映画『若者のすべて』について考えてみよう。ヴィスコンティはこの映画で、同時代のイタリア人に次のことを示した。つまり、イタリア南部の悲劇的な事件の数々は、地域の発達が遅れているために必然的に起きたのではない、むしろ、現代社会における人々の行動の指針を、ある種の仕方で取り入れ、解釈した結果引き起こされたのだ。同じように、フェリーニの『甘い生活』も、近代をめぐる寓話として、近代の可能性と限界について語っている。アートと懐疑論の同盟は、批判や解放に足場を与えてもいるのだ。アートと懐疑論が結びつくことで、私たちは特定の言説のあり方の偶然性に気づき、したがってその変更可能性を意識するようになるのである。

意外に思われるかもしれないが、私の全体的な思考回路は、ルドルフ・カルナップが有名な論文「経験主義、意味論、存在論」で提示した、悪名高い「内的問題」と「外的問題」の区別にかなり共感している。[29] カルナップによれば、内的疑問は「言語的枠組」(linguistic framework)を前提し、内的な陳述はその言語的枠組との関係で評価される。内的疑問の例は手近に

29 ルドルフ・カルナップ「経験主義、意味論、及び存在論」、『意味と必然性 意味論と様相論理学の研究〈復刊版〉』所収(永井成男、内田種臣、桑野耕三訳、紀伊国屋書店、一九九九年)、二五三—二七二頁。

たくさんある。「そこにいるのは誰?」、「オレンジジュースはどこ?」などだ。外的疑問は、「外界は存在するか」や「他の心は存在するか」といった疑問である。こうした問いが「外的」と言われるのは、カルナップが多かれ少なかれ自然的とみなす言語の枠組、すなわち、物質や他人の心が存在すると考える日常的存在論の言葉遣いの外にあるからである。内的疑問は経験に基づいて確かめられるが、それに対して、カルナップは外的疑問を、感情表現や、さらには詩と並べている。詩は、経験に基づいて確かめられない、言語の別の枠組であって、カルナップ曰く、古典的な形而上学の様式も詩に属するという[30]。

私は、基本的にカルナップの議論は正しいと考える。ただし、カルナップは内的/外的の区別が結果的に意味することを過小評価している、とも思っている。確かに、現代アート、懐疑論、形而上学は、いずれも非命題

30 ルドルフ・カルナップ「言語の論理的分析による形而上学の克服」、『カルナップ哲学論集』所収(永井成男、内田種臣編訳、紀伊國屋書店、一九七七年)。多くの人が指摘するように、カルナップはディルタイ版の「生の哲学」から影響を受けている。カルナップは、アートの非認知的な身分を明らかにするために、アートをめぐる論争中の哲学議論を使っているが、そのことは彼の試みにとって、特筆に値する大きな問題である。

的、非表象的な身分をもつという点で、相互に連関していると言っていい。[31] しかし、カルナップ自身が採用する言語の枠組、すなわち素朴な物質存在論の枠組も、外からの視点、たとえば美的観点から眺めれば、認知的枠組ではなくなる。カルナップの考えによれば、特定の言語の枠組を受け入れること自体は、経験に基づいて確かめられた認知的な行為ではない。カルナップはこうした考えを取り入れることで、言語的枠組の偶然性を指摘する。つまり、どんな言語的枠組も、ある言語を他の言語より優先する乱暴な決定に基づいているということだ。このようにしてカルナップは、私たちが別のやり方で自分たちを概念化し、別のやり方で日常の背景的知識を組み立てる可能性があると、しぶしぶ認めているのである。

カルナップが枠組の概念を取り入れたやり方は、簡単に自己適用することができる。カルナップの言語決定論を、彼自身が好む枠組に適用してみ

31 バーンスタインは、真、善、美のカテゴリーを区別することが、美的共同体の喪失を示す近代の決定的特徴であると論じている（cf. Bernstein, *The Fate of Art*, pp. 5-6）。近代は美的疎外の観点から説明できる。バーンスタインによれば、「アートの真理からの疎外」は「アートが審美的になることで引き起こされたのであり、この変化は、近代社会においてはじめて完全に達成されたのである」（同書、四頁）。

よう。すると、その枠組が選ばれたこと自体を、偶然の観点から問題にすることができる。したがって、実体という素朴な枠組に代替案はなく、ゆえにそれを疑う余地はない、とカルナップが主張していようと、彼の主張に譲歩する必要はないのである。むしろカルナップの議論を逆手にとって、アートと懐疑論に類似性があると理解してかまわない。カルナップは、懐疑論の攻撃から自分の枠組を守るために、もっともな問いの届かないところに枠組を設置している。まさしくそれにより、彼の枠組は経験に基づく知識によるものではないことが明かされているのだ。なぜなら、その正当性に対する疑問をはじめから除外した上で彼の枠組が受け入れられているとすれば、彼の枠組を認知的な達成としてカウントすることはできないからである。[32]

言い換えれば、ミクロ領域とマクロ領域の中間にある、互いに純粋な因

32 Wright, "Wittgensteinian Certainties," pp. 48-49.

果関係で結ばれた物体からなる外界という概念は、ホメロスの時代の神々と同じくらい、神話的な概念なのだ。それゆえ、カルナップの一番手厳しい批判者であり、かつそのもっとも賢明な後継者でもあったクワインが、この結論をまさしく言語決定論から導き出したことに、なんら不思議はない。クワインにとって、言語決定論は存在論の相対性を意味するものだったのである。[33]

それはそうだとして、アートと懐疑論の間にある障壁をきっちり取り去るには、さらに別の自己言及を導入する必要がある。私たちは単純にこう問わねばならない。枠組や存在論的相対性といった概念の全体は、どの言語において、つまり、どの枠組との関係で、表現されるのか。それを語るのは誰で、どの視点から語っているのか、と。ここには明らかな問題がある。すなわち、存在論的相対性や言語決定論を主張することは、そこで言

33　W・V・O・クワイン「経験主義のふたつのドグマ」、『論理的観点から　論理と哲学をめぐる九章』所収（飯田隆訳、勁草書房、一九九二年、六六頁）。この平行性については、ヨアヒム・シュルテも以下の論文で強調している。Joachim Schulte, "Within a System," in *Readings of Wittgenstein's On Certainty* (D. Moyal-Sharrock and W. H. Brenner, eds., Basingstoke, UK: Palgrave MacMillan, 2005), pp. 63-64.

われている基準に照らせば、それ自体、その他の可能性から選ばれたひとつの偶然的な理論構成の受け入れである。内的疑問と外的疑問の区別は、それ自体がひとつの外的疑問への、つまり、異なる枠組がいかにして可能かという問いへの、答えなのだ。この問いに対して、出発点として与えられたどれかの枠組の内部から答えることはできない。かといって、メタレベルの枠組に立脚することでその問いに答えられたとしても、私たちは自己言及的に問う操作をまた正当に繰り返すことができる。つまり、「なぜほかの枠組でなくこの枠組を選んだのか」と自分に問うことができるのだ。そこでもし否定されることが考えられない必然的な枠組に到達できうるとしたら、枠組という概念自体がなくなるはずである。なぜなら、そもそも枠組の概念が導入されたのは、代替可能な枠組が存在するという単純な理由だったからだ。もし素朴な実体存在論というデフォルトの枠組しかなかったら、私たちはこの枠組を枠組として捉えることすらできず、単なる所与として扱うよりほかないだろう。

しかしながら、懐疑論者と対峙するとき私たちは、アートと対峙するときと同じく、どうしても超越の方へ誘われる。枠組を枠組として捉えるためには、自分の枠組を超越する必要があるのだ。だからといって、考えうる究極的な枠組、知識に関する無限の知、絶対知といったものは存在しない。私たちは枠組という有限性の外部に出ることはできない。せいぜい、それを内側から変化させることができるだけだ。

私の考えでは、以上の議論は次のことを意味している。すなわち、枠組や文脈を哲学的に理論化すること、あるいは別の言い方をすれば、懐疑論への応答として枠組や文脈を理論化することは、芸術的な創造行為なのである。それは、事物や思考に備わった所与の論理秩序を表現することではない。哲学的思考は、私たちが事物や思考を概念化し、それに枠組を与える活動の外に、存在論的に先立って存在するわけではないのだ。[34] それゆえ、概念化するとは、可能性を限界づけることである。私たちが可能性を限界づけ、すべての可能世界のうち、この現実世界に自分を位置づけるときはいつでも、さまざまな可能性の地平として、世界を無から創造している。なぜなら、私たちの枠組は、その創造の外には存在しないからである。[35] 限界は、外部から課されるのではない。哲学的言説の当の舞台を設定するために利用可能な外部というものは、存在しないのだ。

したがって、世界がそれ自体何であるかと問うたところで、明確な答えは存在しない。なぜなら、それ自体としての世界は、決定可能な内容を欠いているからである。仮に絶対的一者性における世界のようなものがあるとして、それは言葉にして扱えるようなものではないだろう。あるがまま

34 ジェイ・バーンスタインは実証主義についても同様の見解を唱えている。「科学的枠組という概念が、その枠組自体の働きに関して発動させるのは、〔あらかじめ存在する〕真実の『再生産的』概念作用や『表象的』概念作用ではなく、『生産的』概念作用である。科学的枠組は、自然に対して測られるのではなく、自然の尺度を提供するのだ。ある枠組において知識が発展することができるのは、その枠組自体のおかげである。それに対して、ある枠組から別の枠組へ移ることは、過去の知の偏狭さを明らかにすると同時に、自然とは何か、科学とは何かを理解するための新たな可能性を明らかにする。つまり、科学することの新たな可能性を明らかにするのである」(*The Fate of Art*, pp. 84-85)。

に存在する世界について最大限言えるのは、それが言葉にとって「未知のX」であり、中身を欠いたまま客観性の前提となっているということだけである。思うに、この考えのある部分は、カントの「超越論的対象」という逆説的概念に重なっている。とはいえ、客観性の条件を本当に捉えようとするときには、カントのように対象について語ってはならない。カントは超越論的対象について語ったため、モノ自体という概念をめぐって多くの批判を引き起こしてしまった。

懐疑論は、哲学が芸術的な創造行為であるとする洞察につながっている。ウィトゲンシュタインの考えによれば、私たちの創造性は、自分が所属する共同体の諸条件、すなわち、私たちが訓練を受けた規則に拘束される。だが、そうしたウィトゲンシュタインの信念そのものが、まさに私たちを拘束することを意図した、ひとつの世界像の帰結なのだ。いったいウィト

35 次の点に注意することはきわめて重要である。すなわち、私たちが可能性の地平を創造し、そしてその意味で世界を創造するからといって、創造された地平に現れる客体を私たちが創造しているわけではない。私は、客観性と客体の混同に立脚する魔術的観念論を擁護するつもりはない。

ゲンシュタインは、自分が岩盤に——あるいは彼の好みの言い方をすれば、自然に——到達したと、どうして主張できるのか。自然について彼が述べたことは、あるがままの事実に関する語りである以上に、自然という概念の創造なのである。[36]

結論

結論に際して、二つの悩みを解消しておきたい。最初の悩みは、客観性の悩みである。懐疑論者の言うことが正しく、さらには懐疑論からの挑戦によって、私たちの認識論的・実存的有限性の性質をアートの観点から洞察するための足がかりが得られるのだとして、与えられた世界像が事実に合致するかどうかを、いったいどのように判断すればいいのか。私たちは

36 マルクス・ガブリエル『認識論の限界で懐疑論の教訓としての客観的知識の必然的有限性』(Verlag Karl Alber, 2008、未邦訳)より。補論注8を参照。

いずれにせよどこかで次のように了解せざるをえない。すなわち、世界はつねにすでに、とにかくそこにある。世界は私たちの概念的活動とは独立に、また言説や神話による有限な叙述からも独立に存在している、と。というのも、私たちが言葉にして語ることは、何らかの絶対的真理があるという考えに基づいているように見えるからであり、そしてそれは言葉の必然的な有限性をめぐる真実の上に成り立っていると思われるからだ。懐疑論もアートも、支離滅裂な問題意識のなかで混乱して、極端に相対的になりすぎていないだろうか。

つねにすでに、とにかくそこにあると前提された何かという問題は、あらゆる理論構築の過程で生じる。限りなく現実的な理論であれ、あるいは観念的、相対主義的な理論であれ、その点にかわりはない。問題は、私たちが何かを、あたかもそれが措定されていないかのように措定してしまう、という点にある。[37] つねにすでに、とにかくそこにある真理という考え、あるいは、意味論的な能力をもつ生き物であればいつでも発見可能な世界秩序という考えは、それ自体、自分が措定されていないかのように何かを措定している、ひとつの神話にすぎないのである。どんな絶対的現実も、私たちがそれを把握することで歪められているかもしれない。この逆説的な状況から逃れることはできない。だからこそ、神話はどこまでも客観的である。神話に捕われないよう舵を切ることがそもそもできない以上、客観性という考え方は明らかに神話によって与えられた状態の一部であり、私たちの世界像の一部でなければならないのだ。私たちは神話のおかげで、客観性をめぐる特定の考え方にコミットしている。それにより、私たちは自分の道を疑う余地のないものとして照らすことができる。その点で、私たちは前ソクラテス時代から何も変わっていないのである。

37　クワインでさえこう述べている。「われわれが存在すると容認するものはすべて、理論―構築の過程を記述するという点から見ると措定物であり、構築されてしまった理論に立って見ると実在のものである。」(W・V・O・クワイン『ことばと対象』(双書プロブレーマタ3) 大出晁、宮館恵訳、勁草書房、一九八四年、三六頁)。

第二の問題は、私自身の言葉の問題だ。いったい私はどのような言語を使えば、言葉にされたことの神話的性質について、別の、いわば新しい神話を創造することなく、何かを述べることができるのか。私はどうすれば有限性の罠を回避し、中立的な立場に立つことができるだろうか。

大事なことは、私にそんなことはできないし、そうするつもりもない、ということだ。私は哲学という営みを、概念を使った芸術的実験と捉えている。フェルナンド・ペソアなら「それでも、私たちは考える」と言うことだろう。私の考えでは、コンセプチュアル・アートが哲学に似ているのではなく、むしろ哲学がコンセプチュアル・アートに似ているのだ。あるいは、哲学は概念詩（コンセプチュアル・ポエトリー）だと言ってもいいかもしれない。とはいえ、それは懐疑から始まりアートに行き着く弁証法的議論の筋道を辿った結果として起きることだ。私自身の語りが自己言及的になるとき、哲学は、科学でなくアートと繋がっていることが明らかになるのである。もちろん、科学もまた概念を使ったアートの実験であると考えるなら、話は別だが。[38]

38 本論文は、まず米国デポール大学の哲学科で発表され、その後ハイデルベルク大学における国際会議「懐疑論と形而上学——歴史的・体系的アプローチ」で発表された。コメントと批判的な指摘をくれた、マイケル・フォースター、ポール・フランクス、ハンス＝フリードリヒ・フルダ、カティア・ヘイ、アントン・フリードリヒ・コッホ、ビル・マーティン、ウェスレー・マッティングリー、デイヴィッド・ペラウアー、アンドレア・レーベルク、マイケル・ウィリアムズに感謝する。

訳者解説

大池 惣太郎

本書は、「新実在論」の旗手であるマルクス・ガブリエルが、自身の哲学をアートに適用した本である。主著『なぜ世界は存在しないのか』の第六章「芸術の意味」の内容がさらに推し進められ、「アートの力の実在論（リアリズム）」というべき、珍しい議論が展開されている。珍しいと言うのは、よく巷で見かけるアートの存在論（オントロジー）と、似ているようで大きく異なるからだ。

アートの存在論とは、アートとは何か、ある作品がアートであるとはどういうことかを考える議論のことである。その種の議論は、ネット上のまとめサイトから専門書まで、数多く存在する。それだけ多くの人が、アートとはいったい何なのか、よく分からないと感じているのだろう。実際、現代アートの美術館やフェアに足を運んで、「いったいこれの何がアートなの？」、「この作品について何をどう理解したらいいんだ」と当惑した経験は、大なり小なり誰にもあるにちがいない（訳者にはよくある）。そういうときには、何だか置いてきぼりをくったような、場合によっては腹立たしい気持ちにさえなって、アートの世界がますます遠く感じられるものだ。

しかし、本書『アートの力』を読めば、アートに当惑する経験は誰の身にも訪れるものだ、ということがわかるだろう。というのもガブリエルによれば、「どんなアート作品にも共通に備わる内容など存在しない」からだ。つまり、アートの存在論は作れないのである。

もしアートが何であるかを断言できるなら、アート作品をどう受け取るべきかも決まってくる。たとえば、「アートは人間の感性を豊かにするものだ」という定義が成り立つなら、観賞によって自分の感性は豊かになるものだと考えて作品を眺めればいい。あるいは、「アートは何か普遍的なものを表象する」と言われれば、「この作品が表現する普遍的なものは何か」という観点で作品を判断すればいい。というか、そう言われたら、半ば強制的にそう眺めてしまうだろう。

ところが、もしさまざまなアート作品に共通する本質が何もないとしたら、はじめて出会った作品をどう受け取めればいいか分からないことは、そもそもの前提になる。作品を前に当惑するのが、当たり前なのだ。本書の中心となる主張は、その点に関わる。ガブリエルによれば、「アート作品はラディカルに自律している」。言い方を変えれば、あるアート作品が何であるかは、その作品が実際にどう受け取められているかという事実を離れてあらかじめ決められていない。それも、ラディカルに、とことん深く決められていないのである。

この「ラディカルに」ということの内実を考えるのが、本書の醍醐味になっている。ラディカルに決められていないというのは、「はっきり断言できない」とか、「人によって異なる」とかいった中途半端なことではない。ガブリエルの主張を信じるなら、アートの本質は、ある特別な知識や感受性を持つ人にしか分からないわけでも、さまざまなタイプの作品や観点があるから一概に決められないわけですらもない。自分が具体的な作品と現に出会うその瞬間まで、本当に、まったく、ぜんぜん、決まっていないのである。

逆に言えば、「アートの理解なんて曖昧なものだ」と思っている人は、アートの受け取り方が、どこかの誰かにとっては一定程度決まっているのだろう、と考えている可能性がある。そうした考えは、アートの存在論と相性がいい。巷に溢れるアートの存在論（「現代アートとは何か」といったたぐいの解説）は、特定のアートの潮流について、「こういうタイプの作品はこの観点で眺めると面白さが分かりますよ」と推奨するものが大半である。どちらにしても、アートについて一般的に語れる位置があることを前提しているのだ。

特定の見方や情報を知ることで、アートをその上位の審級から理解できると信じている人に向けて、まさに本書は書かれている。ガブリエルによれば、アート作品が何であるかを事前に決めることは、誰にも、決してできない。なぜなら、アート作品は、特定の見方や秩序に属さず、それ自体が「絶対者」として、独自の秩序そのものとして存在しているからだ。違う観点で言うと、アートと出会うとき、人は作品の外からそれを眺めているのではなく、その作品が自分で用意した秩序のなかに巻き込まれている。それこそが、「アートの力」と言うべきものだ、というのが、この本の中心的主張である。どのような論拠によってガブリエルがそう考えるのかについては、あとで見るとして、まず先に、そうだとすればそこから何が言えるか、訳者の見解をはっきり述べておきたい。

アート作品が何であるかが根本的に決まっていないということは、自分が現にアート作品とどのように出会ったかについて、外的な基準で誰かから文句を言われる筋合いはない、ということを意味する。このように言うと誤解されるかもしれない。これは、「アートはそれぞれ好き勝手に感じればいいものだ」とか、「ある作品をどう感じ理解しようと私の勝手だ」とかいうことではまったくない。その種の言い草は、むしろアートと出会ったこともなければ、出会うつもりもない人の言い分である場合がほとんどだ。自分の恣意や気分で好き勝手にアート作品を受容できるなら、アート作品はそれこそ真面目に捉えるに値しない。

本書が示唆するのは、それと真逆のことである。ガブリエルによれば、アート作品と自分がどう出会うかを決めるのは、アート作品の方だという。そして（ここが一番重要な点だ）、作品と出会うという出来事は、作品について何か自分なりの意見や観点を持つことではないのだ。そうではなく、それはそのまま作品の存在に立ち会うということなのである。そうである以上、自分がたまたま作品と出会ってしまったなら、人から見てどれほど荒唐無稽な出会い方であろうと、それは真剣に捉え、考えるに値するのである。

訳者はアートや美学の哲学研究者ではないので、この本の議論が破綻なく成立しているかどうか、はっきりとは断言できないところがある。しかし、仮に破綻があったとしても、ガブリエルの議論が意味することは、素晴らしいことであると思う。アート作品が何であるかがラディカルに未決定であり、自分が出会うことを通じてのみそれが存在するのだとしたら、なおさらアート作品に触れたい、出会いに行きたいと、私は考えるからだ。

反対に、アートの見方がある程度決まっているとしたら、その見方から開かれる世界がいかに繊細で魅力的なものであろうと、それはやはり制度にすぎないと言える。そうなれば、アートを知ることは、限定された集団の様式や感受性を学びに行く以上のことではなくなるだろう。もちろん、それがいけないことだとは思わない。どのジャンルの世界にも、その世界に精通し、耽溺してみないと分からない素晴らしい眺めがあるはずだ。

アートは、そうした限定された制度のひとつにすぎないのだろうか。アート作品を受容することは、オセロやボルダリングやローマ史に親しむことと同じ次元の問題なのだろうか。明らかに、多くの人はそのようにアートを捉えている。そして実際、その側面もないわけではない。「この絵の作者はウィーン分離派からの強い影響を受けています」という議論に盛り上がることは、「この局面で銀から打つのは天才の発想です」という議論に盛り上がるのと、本質的に同じ次元の問題だ。その面白さを理解できるのは趣深いことであるだろうけれども、アートがその次元に収まるのであれば、アートは時代や地域によって変化する、さまざまな趣味の共同体のひとつにすぎない、ということになる

(そして、真っ当な理由から、ぜひそうみなすべきだと主張している人もいる。たとえば、ヴォ

ルフガング・ウルリヒは、アートを特別視する理由はないと主張することで、アートを「芸術」の仰々しさから引き下げ、ずっと親しみやすいものにしようと努めている。『芸術とむきあう方法』を参照）。

それに対して、ガブリエルはアートを特別な存在として扱っている。本書から解るふたつ目の示唆は、アートをオセロやボルダリングと同列に扱うことはできない、ということだ。アートに出会うということは、特定のジャンルの世界に精通し、その内部の観点で対象を理解できるようになることと、まるで違った出来事なのである。本書でガブリエルは、「アート作品の知覚は、一般に間接的段階の知覚関係である。知覚関係についての知覚関係なのだ」と述べている。要するに、アート作品は、自分が何であるかという事実に関して、つねにもう一段階ずれたところから、超越論的に自らを現しにかかる存在なのだ。言い方を変えれば、アート作品は特定の制度のなかの一対象として現れるのではなく、独立の制度そのものとして姿を現す対象なのである。

アートは、あらかじめ定まった意味や制度を超えた次元に存在する。たとえば、ボルダリングであるような将棋や、将棋であるようなボルダリングが存在しないのに対して、アートであるとしか言えない将棋の局面や、アートであるとしか言えないボルダリングの一場面は、もしかしたら存在するかもしれない。ただしそれは、神がかった妙手や、超難度の技術の成功といった形で起きることではおそらくない。起こるとすれば、将棋やボルタリングの世界の基準ではまったく意味づけられない、それにもかかわらず、「これは何かだ！」と言わずにいられないような出来事として起こるのである。

観点を翻せば、アートワールドという制度の内部に置かれるだけで、何かがアート作品になることはない、ということでもある。作品をアートとして展示することや、特定の基準で作品を鑑賞することそれ自体は、アートの存在と関係がない。ある絵画が美術史上画期的な作品であると知り、その観点で感嘆してはいるものの、当の絵自体からは特段何も感じていない、ということは往々にしてある。

ガブリエルは、「美的経験は突然生じるか、生じないかなのだ」と述べている。

その意味で、本書の議論の一面は、アートの実存論であると言えるかもしれない。アート作品との出会いは、その都度、事実として生じる出来事（アクシデント）であり、作品の前提知識や、それが置かれた文脈によって先回りして保証されない。ある作品がどんなアートであるか、そもそもアートとして現れてくれるかどうかは、何によっても決められていない。「美術館に置いてあったら、私のこのメガネだろうとアート作品になる」というダントー的な批判に対しては、「それならどうして私はさっきからこの美術館でひとつもアート作品と出会わないのか」と悲しく聞き返すことだってできるのだ（多少恥をかくことになるだろうけれども！）。

ここまでの紹介で、すでにいろいろな疑問や反論が湧いてきたにちがいない。訳者が思いつくのは、だいたい次の三つの疑問である。

第一に、アート作品は本当に「ラディカルに自律している」のだろうか。アート作品には、前提知識や特定の見方なしには理解しづらいものがたくさんある（たとえば、《ビルケナウ》の下に何が描かれているかを知らずに、この作品に出会いました、とはなかなか言いづらい）。作品の成立過程や作者の意図、美術史上の解釈を知ることは、作品の受け取り方に明らかに影響する。さらには、作品の展示され方や、自分のその日の状態も、作品の印象を変える要素だ。ガブリエルは、アートの力が絶対的だと言うけれども、むしろアートの力は、さまざまな要因に作用される、弱い、相対的な力だと言うべきではないのか。

第二に、ガブリエルの議論は、本書で批判されるカントの美学と、どこまで同じで違うのだろうか。ガブリエルによると、作品が何であるかは、その作品自身によって、その都度決められるのだという。ところで、カントもまた、ある作品が良いか悪いかを判断する基準は、作品の経験を通じてはじめて与えられる、と述べた。カントによれば、作品を捉えるための感性的な見方は、美的経験のなかで、その都度作り出されるのだ。ガブリエルの議論は、これと実質的に同じことを述べてはいないか。ガブリエルは本書でカントを手ひどく扱っているけれども、実はカントが美的経験について語ったことを、「アート作品」を主語に語り直しただけなのではないか。

第三に、ガブリエルが論じていることは、アート作品だけに当てはまることなのか。意味をもって現れるすべてのことが、大なり小なり、彼のいう「間接的段階の知覚関係」をもっているのではないか。アート作品に触れることは、明け方の空を見ることや、誰かの振る舞いにその人らしさを感じることと、どう違うのだろう。アートの本質が何によっても決められていないとしたら、序文でジェニエスが述べているように、アートは存在しない、アートに固有の存在領域はない、と言うべきではないか。

これらの問いに本書がどう答えているか、この解説でうまくまとめることはなかなか難しい。訳者の理解不足、見識不足に加えて、ガブリエル自身の議論も、分かりやすく大胆に書かれている分、いろいろと細かなところで齟齬や落とし穴がありそうにも見える。とはいえ、仮にそうだとして、それは哲学の本として致命的な落ち度ではないと断っておきたい。哲学の本として致命的なのは、何の疑問も抱かせず、ページを閉じると同時に考えるのをやめさせてしまうことだ。批判や疑問を生むことは、哲学書として悪いことではないのである。

以下、本書の内容が上の問いに対してどのような答えになり得ているか、訳者の理解で勝手に補いつつ述べてみたい。読者各位がそれぞれガブリエルの哲学やアートの存在について批判的に考える叩き台になれば幸いである。

まず、アート作品の力は、さまざまな要因に影響される、相対的で、弱いものではないか、という疑問について。誰でも認める事実として、アートの見方はさまざまな要素に左右される。ガブリエルもその点は認めている。作品にまつわる知識や状況、作品を受容する人の状態は、作品の解釈に当然関わってくる。その事実を含み込んだ上で、アートの力はやはり絶対的だ、というのが、本書の論点である。ガブリエルによれば、「アート作品は個体であって、その存在はどんな普遍的構造とも結びつくところがない」。これは、作品の現れ方が何からも影響を受けず、どの観点とも関わりがない、ということでは決してない。むしろアート作品は、さまざまなものと関係することができる。ガブリエルの芸術哲学において、アート作品にあらかじめ含まれてはならない要素や領域はない。重要なのは、それらすべての関係を巻き込んだ上で、アート作品はあらためて独自に、総体として自分が何であるかを決める、という点なのだ。

極端な例で考えてみよう。三人の人がイヴ・クライン展を訪れたとする。一人は作品を見てこう考える。「よく見ると作品によって微妙に色が違うが、そのすべてが〝クライン・ブルー〟としか言えない独特の感じをもっている。〝クライン・ブルー〟は、物理的な色を超越している」。もう一人は、その日、とても悲しいことがあった。作品を眺めているうちに「この絵は、今日の出来事と同じくらい悲しい」と感じる。三人目は、ひたすら「この青はきれいだなあ」と思っている。

作品の解釈として、三人の受け取り方は、精度や妥当性に違いがある。伝統的な美学の観点だと、とりわけ二人目について、彼が作品を正しく解釈したとは言えなさそうだ。だがガブリエルの議論において、誰がアートの力に巻き込まれたか、上の記述からだけでは分からない。一般に妥当と思われない形で作品を受容しようと、凡庸極まりない感想しか言えなかろうと、アートの力に触れなかったとは、決して言えないのである。

ガブリエル哲学において、アートの力に巻き込まれたかどうかに関して唯一決定的なことは、「クライン・ブルーは物理的な色を超越している」とか、「この絵は悲しい」とか、「この青はきれいだ」とかいうことの意味が、その作品の経験を唯一の範例とする形で現れたかどうか、だけである。「悲しい」や「きれいだ」ということの意味が、まさにそこに生じた経験の実在（リアリティ）によって定義されるとき、彼らはアート作品の力に巻き込まれている。二番目の人物が、単に悲しんでいることから引き離され、作品のうちで「悲しい」という観念の実在を経験させられたのだとしたら、そのとき作品は、自分の美的経験のうちに鑑賞者の悲しさすらも取り込んで、「悲しさ」が何であるかを独自に決定してみせた、ということなのだ。

以上のことからすでに、ガブリエルの哲学が、カント美学とだいぶ次元の違う話であることは明らかだろう。

カントは、何かが純粋に美的に良いと感じられるとすれば、それは外的な基準によってではなく、その経験自体を通じて打ち立てられた基準による、と考えた。たとえば、人として良い人かどうかや、椅子として良い椅子かどうかは、「人間」や「椅子」の定義によって決まる。椅子は人が座るものだから、グラグラしているのは悪い椅子だ。それに対して、外の景色がきれいだなと思うことは、「外の景色」の定義に照らして出てきた印象ではない。それは、その景色に含まれる微妙なバランスや色合いが、その現れ自体において全体に良いまとまりをもって捉えられた、ということに集約される。その景色を捉えている見方を、問題の景色抜きにあらかじめ決めておくことはできない。同じ景色は二度と存在しないからだ。

ある景色を良いものと感じる際のその捉え方を、カントは「形式」と呼んでいる。「形式」は、何かを美的に良い、悪いと判定する際の捉え方そのものであって、それ自体は、事物のように存在していない。それは、実在物ではなく、実在物の与えられ方を決めているルールのようなものだ。したがって、この世界に存在するのは何かという実在論の議論において、「形式」は実在にカウントされない。

ガブリエルの議論は、カントと似ているようで、考え方がまるで異なる。

ガブリエルは、対象が与えられる際の与えられ方を「意味」と呼ぶ。カントの「形式」がそれ以上後ろに回り込めないものであるのに対して、ガブリエルの「意味」は、その意味がそのような意味として現れるための背景を必ずひとつ持っている。「意味の場」(Fields of Sense)と呼ばれるものがそれだ。

たとえば、ある景色が美しく立ち現れているということは、その景色が美的な「意味の場」において意味をもつ、ということだ。ガブリエルの議論において重要なのは、その美的な「意味の場」自体も、さらなる背景の上に置かれれば、ひとつの「意味」として現れ得る、という点である。景色が美しく立ち現れているということ自体の意味について、「この美しいという感じはそれ自体何なのか」と問うとき、美的な「意味の場」が、さらに別の「意味の場」の上に置き据えられたことになる(カント哲学において、このような操作が不可能であることは明らかだ)。それが脳科学的な「意味の場」であれば、「この景色の美しい立ち現れは、視神経から得られた刺激が特定の興奮性シナプスに接続されているのだ」と捉えられるかもしれないし、日常言語の「意味の場」に置かれれば、「私は自分や世界の存在に意識を向けて、それを大切にしているのだ」と捉えられるかもしれない。

ガブリエルによれば、何であれ「意味の場」において現れることは、そのようなものとして実在する。景色を美しいと感じる際の物理的な過程は、物理的な存在領域にある存在として実在しており、またその景色の美しいという感じは、感覚的なものの存在領域にある存在として実在している。

カント哲学において実在しているのは、それ自体としては姿を現さない主体と客体であり、景色は実在の現れにすぎない。カントにとって「景色が美しい」とは、その景色を美的に判定する感性の形式が主観において作られたということであって、あらたに何か別の実在が作り出されたことにはならない。だがガブリエル哲学においては、主体と客体の他に、「その景色が美しい」という美的経験もそれとして実在している。とりわけ、アート作品に関する美的経験は、自分に固有の「意味の場」を伴って現れる、ラディカルに自律した実在なのである。

最後の疑問。ある対象が自分自身の「意味の場」を伴って現れる、ということは、アート作品に限ったことなのか。これについては、二つの角度から、そうではないとはっきり言える。第一に、ガブリエルによれば、ある対象が置かれた「意味の場」がよく分からない場合、私たちはアート作品を眺めるのに近い形でその対象に直面するという。ガブリエルが別の著書で挙げている例では、たとえば、見知らぬ国を旅するような場合がそうだ。知らない国の人々の振る舞いを、「これはどういう意味だろう」と考えながら眺めているとき、私たちはその振る舞いの「意味」を、それを決めている「意味の場」とともに探ろうとする。「意味」と「意味の場」の区別がつかなくなればなるほど、その知覚経験はアートの経験に似てくる、というわけだ。

第二に、本書で皮肉を込めて挙げられているドナルド・トランプの例に従えば、自分自身のルールにしか従わないような人も、アート作品に似た存在だ、ということになる。訳者が思いつくトランプよりもはるかに鮮烈な例は、コーエン兄弟の『バートン・フィンク』に出てくる、殺人鬼チャーリー・メドウズだ。主人公のバートンは、うらびれたホテルでチャーリーと出会うのだが、チャーリーは最初、ただのちょっとうるさい保険セールスマンであり、ホテルの宿泊客の一人にすぎないように見える。だからバートンは、ホテルという「意味の場」のルールに則り、チャーリーに「静かにしてくれ」と頼む。

ところが、映画のクライマックスでは、炎に燃え上がるそのホテルが、実はチャーリーその人だった、ということが明らかになる（熱で剥がれ落ちる壁紙は、チャーリーの耳垂れそっくりだ）。バートンは、知らぬまにチャーリーという固有の存在領域のなかに入り込み、彼に一般人の領域のルールを勝手に要求してしまったのだ。チャーリーは燃えるホテルと一体化して、「お前たちに、この心の生命を見せてやる！」（I'll show you the life of the mind!）と叫ぶ。チャーリーの姿は、自らの「意味の場」そのものとして存在する対象が、どれほど激しい実在であるかを、まざまざと見せつけている。映画の最後の場面で、バートンはチャーリーに「静かにしてくれ」と言ったことを謝罪する。通常の人間の法のなかでは、チャーリーが行っていることの方が、明らかに悪いことだ。だが、そのホテルのなかで、バートンはチャーリーの法を尊重し、それに従う。チャーリーの定めた、チャーリー自身であるところの「意味の場」を認識し、彼が「ラディカルに自律した存在」であることを——おそらくいくらかの敬意とともに——認めるのだ。

アート作品と出会うということは、きっとそれと似たことである。それは、既存の「意味の場」からどこまでも離れ、アート作品自身が設定した法を理解し、それに従うということなのだ。アートの存在に立ち会うには、おそらくバートンのようである必要がある。自律した「意味の場」に巻き込まれ、自分がラディカルに自律した他者と出会っていると、知らなければならないのだ。

アート作品の存在と出会わなくとも、私たちが無自覚なままアートのように眺め、アートのように生きている実在は、おそらくさまざまな瞬間に存在しているだろう（たとえば、朝家から駅に向けて歩くいつもの道で、自分でも気づかず幸福であるようなときなどには）。それに対して、「アート作品」は最初から自分をラディカルに自律する実在として扱えとはっきり告げているような対象として現れる。それは、ある意味で親切なことだ。その対象の「意味の場」が、その対象の現れに局限されていると、あらかじめ知らされているのだから。

本書でガブリエルは、アートに気をつけることも必要だ、と述べている。これは言い換えると、自分がアート作品であることを隠したまま、アートの絶対的な力を行使しているようなものは、とりわけ危険だ、ということである。なかでも、政治がアートになっていないか、私たちは厳重に注意する必要がある。政府や政治家が、法の「意味の場」を超え、自分の存在の意味を自分固有の形で決定し、「意味の場」そのものであるかのような顔をしているなら、本書でガブリエルが言う通り、それが政府や政治家ではなく、出来の悪い「アート作品」なのだということを明らかにしなければならない。

そのことを教えてくれるのも、またアート作品だ。アートは、とりわけ素晴らしいアート作品は、この世界にラディカルに自律した存在がいること、それと出会うことがどういうことであるかを、その都度、比類ない形で、照らし出す。マルクス・ガブリエルの哲学は、それを考える上で、私たちに素晴らしい足掛かりを提供している。

本書のあらましは、凡例に記したとおりである。この翻訳の企画は、大学院時代の先輩である柿並良佑さんの発案で始まったものだ。柿並さんには、拙訳を丁寧に検討してもらい、重要なご指摘をたくさんいただいた。とりわけ哲学概念や文献に関して、本稿が大幅に改善されたのは、柿並さんのご尽力のおかげである。翻訳に声をかけていただいたことと併せ、深くお礼を申し上げる次第である。

表紙の素敵な写真を提供してくださったのは、友人の写真家、宇田川直寛さんである。貴重な作品の提供をはじめ、宇田川さんにはさまざまにお世話になった。心から感謝申し上げる。初稿を読んでくれたアーティストの佐藤壮馬さん、明治学院大学の学生の皆さん、法政大学大学院の櫻井天真さんからも、本書についてで貴重なコメントをいただいた。この場を借りて感謝をお伝えしたい。

最後に、訳者の怠惰で刊行が延び延びになるなか、入稿ぎりぎりまで妥協なく原稿の改良に努めてくださった編集者の野村玲央さんに、心からお礼を申し上げます。どうもありがとうございました。

＊＊＊

マルクス・ガブリエル

一九八〇年生まれの哲学者。史上最年少の二九歳でボン大学の正教授に就任。「新しい実在論」を提唱し、世界的な注目を浴びる。主な著書に、『神話・狂気・哄笑』（堀之内出版）、『なぜ世界は存在しないのか』（講談社選書メチエ）など。

アートの力　美的実在論

２０２３年４月28日　第一刷発行
２０２３年８月10日　第二刷発行

著　者　マルクス・ガブリエル
訳　者　大池惣太郎
協　力　柿並良佑
発　行　堀之内出版
〒１９２‐０３５５　東京都八王子市堀之内３‐10‐12　フォーリア23　２０６
Ｔｅｌ：０４２‐６８２‐４３５０
Ｆａｘ：０３‐６８５６‐３４９７

装　丁　川添英昭
写　真　宇田川直寛
印　刷　音羽印刷株式会社

ISBN 978-4-909237-79-8

大池 惣太郎

一九八二年生。明治学院大学文学部フランス文学科准教授。二〇世紀フランス思想・文学、表象文化論、ジョルジュ・バタイユ研究。主な訳書にパスカル・キニャール『はじまりの夜』（水声社、二〇二〇年）など。

柿並 良佑

一九八〇年生。山形大学人文社会科学部准教授。専門は現代フランス哲学、表象文化論。主な共（編）著に『ジャン＝リュック・ナンシーの哲学』（読書人、二〇二三年）、『〈つながり〉の現代思想』（明石書店、二〇一八年）など。